최상위 사고력 Pre A

펴낸날 [초판 1쇄] 2019년 3월 5일 [초판 2쇄] 2023년 2월 27일
펴낸이 이기열
대표저자 한헌조
펴낸곳 (주)디딤돌 교육
주소 (03972) 서울특별시 마포구 월드컵북로 122 청원선와이즈타워
대표전화 02-3142-9000
구입문의 02-322-8451
내용문의 02-323-9166
팩시밀리 02-338-3231
홈페이지 www.didimdol.co.kr
등록번호 제10-718호

Pre A ^{7세}

상위권의 기준

최상위
사고력

수학 좀 한다면

선 하나를 내리긋는 힘!

직사각형이 있습니다.
윗변의 어느 한 점과 밑변의 두 끝을 연결한
삼각형을 만듭니다.

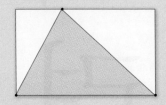

이 삼각형은 직사각형 전체 넓이의 얼마를 차지할까요?

옛 수학자가 이 문제를 푸느라
몇 날 며칠 밤, 땀을 뻘뻘 흘립니다.

그러다 문득!
삼각형의 위쪽 꼭짓점에서 수직으로 선을 하나 내리긋습니다.

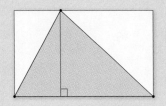

이제 모든 게 선명해집니다.
직사각형은 2개로 나뉘었고
각각의 직사각형은 삼각형의 두 변에 의해 반씩 나누어 집니다.

정답은 $\frac{1}{2}$

그러나 중요한 건 정답이 아닙니다.
문제를 해결하려 땀을 뻘뻘 흘리다, 뇌가 번쩍하며
선 하나를 내리긋는 순간!
스스로 수학적 개념을 발견하는 놀라움!

삼각형, 직사각형의 넓이 구하는 공식을 달달 외워
기계적으로 문제를 푸는 것이 아닌

진짜 수학적 사고력이란 이런 것입니다.
문제에 부딪혔을 때, 문제를 해결하는 과정 속에서
스스로 수학적 개념을 발견하고 해결하는 즐거움.
이러한 즐거운 체험의 연속이 수학적 사고력의 본질입니다.

선 하나를 내리긋는 놀라운 생각.
디딤돌 최상위 사고력입니다.

수학적 개념을 발견하고 해결하는 즐거운 여행

정답을 구하는 것이 목적이 아니라
생각하는 과정 자체가 목적이 되는 문제들로 구성하였습니다.

낯설지만 손이 가는 문제

어려워 보이지만 풀 수 있을 것 같은,
도전하고 싶은 마음이 생깁니다.

최상위 사고력 **3** 방향

3-1. 오른쪽과 왼쪽

1 그림을 보고 알맞은 손에 깃발을 그리세요.

(1) 앞 → 뒤   (2) 뒤 → 앞

2 다음을 읽고 연우, 가희, 지오의 위치를 찾아 이름을 쓰세요.

- 연우의 오른쪽에 민우가 있습니다.
- 가희의 왼쪽에 지오가 있습니다.
- 지오의 오른쪽에 가희가 있습니다.

민우

땀이 뻘뻘

첫 번째 문제와 비슷해 보이지만 막상 풀려면
수학적 개념을 세우느라 머리에 땀이 납니다.

뇌가 번쩍

앞의 문제를 자신만의 방법으로 풀면서 뒤죽박죽 생각했던 것들이
명쾌한 수학개념으로 정리됩니다. 이제 똑똑해지는 기분이 듭니다.

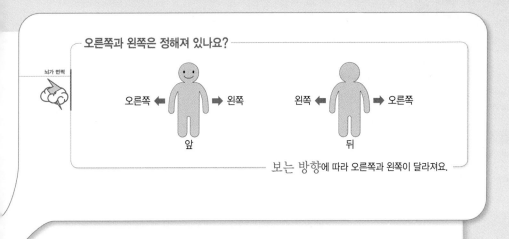

은수는 명령 기호에 따라 집에 갔습니다. 은수가 집에 가는 데 알맞은 명령 기호
를 차례로 쓰세요.

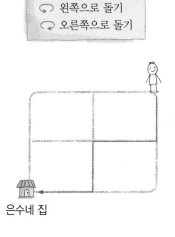

명령 기호
↑ 한 칸 움직이기
↺ 왼쪽으로 돌기
↻ 오른쪽으로 돌기

은수네 집

최상위 사고력 문제

뇌가 번쩍을 통해 알게된 개념을
다양한 관점에서
이해하고 해석해 봄으로써
한 단계 더 깊게 생각하는
힘을 기릅니다.

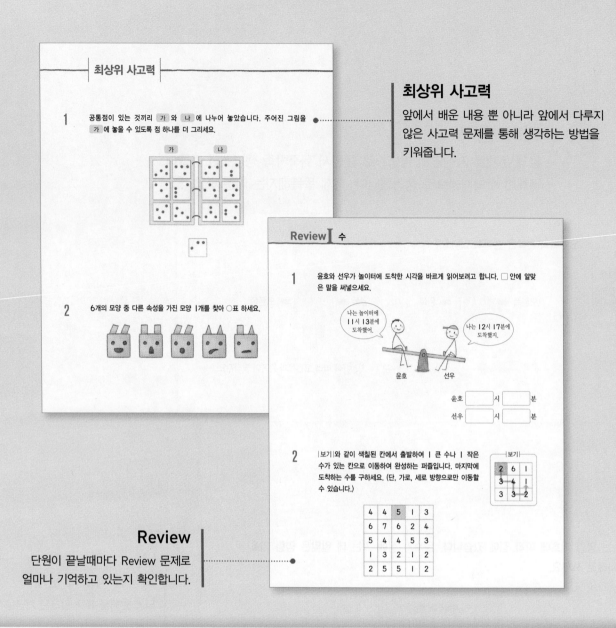

최상위 사고력

앞에서 배운 내용 뿐 아니라 앞에서 다루지
않은 사고력 문제를 통해 생각하는 방법을
키워줍니다.

Review

단원이 끝날때마다 Review 문제로
얼마나 기억하고 있는지 확인합니다.

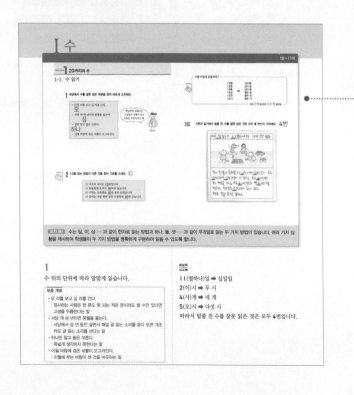

친절한 정답과 풀이

저자 톡!을 통해 문제를 선정하고
배치한 이유를 알려줍니다.
문제마다 좀 더 보기 쉽고,
이해하기 쉽게 설명하려고 하였습니다.

contents

I 수

II 도형

III 확률과 통계

IV 측정

V 규칙

수

I

1-1. 수 읽기

1 속담에서 수를 잘못 읽은 부분을 찾아 바르게 고치세요.

> • <u>다섯</u> 리를 보고 십 리를 간다.
>
> • 서당 개 <u>셋</u> 년이면 풍월을 읊는다.
>
> • <u>일</u>만 알고 둘은 모른다.
>
> • <u>이</u>월 바람에 검은 쇠뿔이 오그라진다.

옛날부터 전해지는 조상들의 지혜가 담긴 표현을 속담이라고 해.

땀이 뻘뻘

2 10을 읽는 방법이 다른 것을 찾아 기호를 쓰세요.

> ㉠ 지우의 나이는 <u>10</u>살입니다.
> ㉡ 동물원에 토끼가 <u>10</u>마리 있습니다.
> ㉢ 가희는 동화책을 <u>10</u>일 동안 읽었습니다.
> ㉣ 유미는 여름 방학 동안 수영장에 <u>10</u>번 갔습니다.

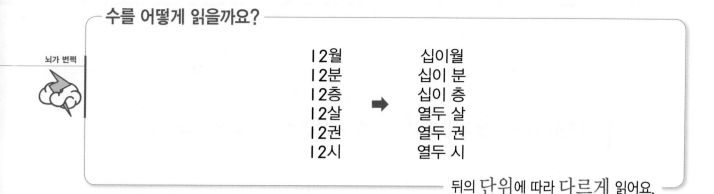

수를 어떻게 읽을까요?

12월	십이월
12분	십이 분
12층 ➡	십이 층
12살	열두 살
12권	열두 권
12시	열두 시

뒤의 **단위**에 따라 **다르게** 읽어요.

최상위 사고력

지후의 일기에서 밑줄 친 수를 잘못 읽은 것은 모두 몇 번인지 구하세요.

1-2. 수의 순서

1 규칙에 따라 1부터 5까지의 수를 순서대로 선으로 연결해 보세요.

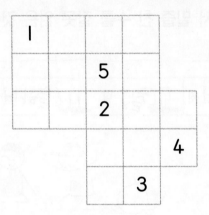

> **규칙**
> ① 선은 가로 방향 또는 세로 방향으로만 그릴 수 있습니다.
> ② 모든 칸을 지나야 하며 한 번 지나간 칸은 다시 지나갈 수 없습니다.

2 1부터 20까지의 수를 일정한 규칙에 따라 배열하였습니다. 빈칸에 알맞은 수를 써넣으세요.

(1)

1	2	4	
3		8	12
6		13	18
	14		20

(2)

1		9	10
4		8	
5	6		12
16			
		19	20

수가 배열된 규칙을 어떻게 찾을까요?

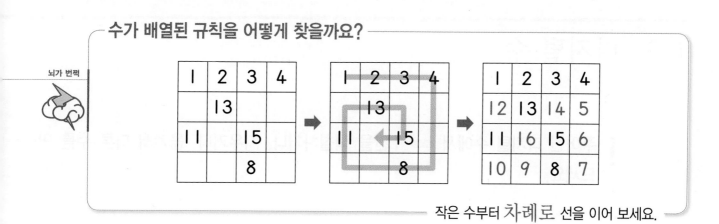

작은 수부터 **차례로** 선을 이어 보세요.

최상위 사고력

1부터 19까지의 수를 일정한 규칙에 따라 배열하였습니다. 빈칸에 알맞은 수를 써넣으세요.

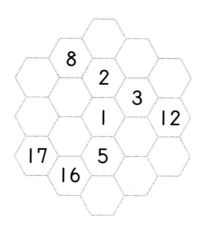

정답과 풀이 2쪽 ▶

1-3. 디지털 수

1 주어진 디지털 수에서 1칸을 색칠하거나, 지우거나, 옮겨서 다른 수를 만드세요.

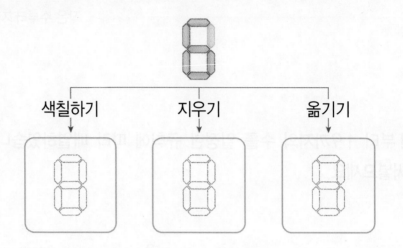

색칠하기   지우기   옮기기

TIP 디지털 수는 **0, 1, 2, 3, 4, 5, 6, 7, 8, 9**와 같이 나타내요.

2 주어진 디지털 수에서 1칸을 옮겨서 더 작은 수와 더 큰 수를 만드세요.

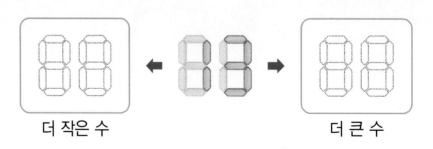

더 작은 수   더 큰 수

디지털 수를 어떻게 다른 수로 바꿀 수 있을까요?

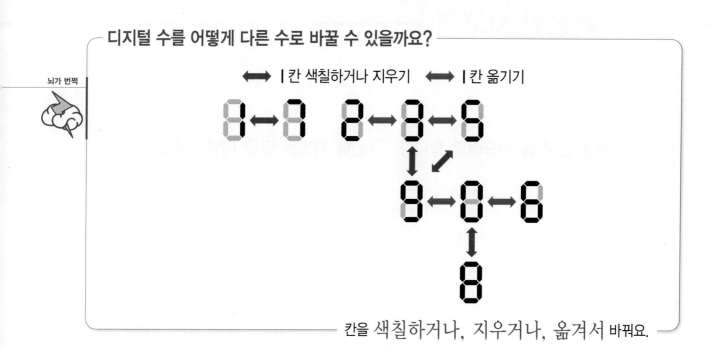

⟵ ㅣ칸 색칠하거나 지우기   ⟵ ㅣ칸 옮기기

— 칸을 색칠하거나, 지우거나, 옮겨서 바꿔요.

최상위 사고력

◁▷ 8칸을 색칠해서 20보다 작은 두 자리 수 3개를 만드세요.

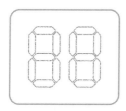   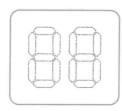   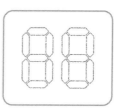

정답과 풀이 3쪽 ▶

뇌가 번쩍

1 밑줄 친 수를 읽으려고 합니다. ☐ 안에 알맞은 말을 써넣으세요.

> ① 우리 가족은 모두 **3**명입니다.
> ② 치과는 공원 앞 빌딩 **5**층에 있습니다.
> ③ 아빠와 동생은 **1**시에 도서관에 갔습니다.
> ④ 우리 이모는 **20**살입니다.

① ☐ 명   ② ☐ 층   ③ ☐ 시   ④ ☐ 살

2 |보기|와 같이 수가 적힌 구슬을 수의 순서대로 배열하려면 구슬을 적어도 몇 번 움직여야 하는지 구하세요.

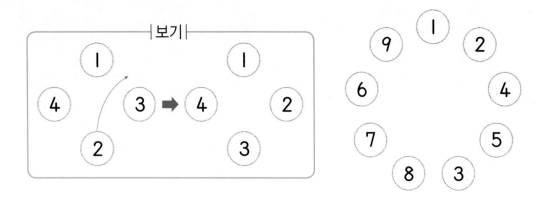

뇌가 번쩍

조건
① **5**보다 작은 수입니다.
② **2**보다 큰 수입니다.
③ 홀수입니다.

① I, 2, 3, 4 ➡ ② 3, 4 ➡ ③ 3

조건에 따라 수를 줄여나가요.

최상위
사고력

조건을 만족하는 수는 모두 몇 개인지 구하세요.

조건
- I부터 **6**까지의 수가 적혀 있는 주사위 **2**개를 던져서 만들 수 있는 수입니다.
- I**0**보다 크고 **20**보다 작은 수입니다.
- 짝수입니다.

TIP 먼저 I**0**보다 크고 **20**보다 작은 수를 구하세요.

2-2. 수 퍼즐

1 1, 2, 3을 각각 두 번씩 써넣어 수 퍼즐을 완성하세요.

- 1과 1 사이에는 숫자가 1개 있습니다.
- 2와 2 사이에는 숫자가 2개 있습니다.
- 3과 3 사이에는 숫자가 3개 있습니다.

				3	

2 1, 2, 3, 4를 한 번씩 써넣어 수 퍼즐을 완성하려고 합니다. 수 퍼즐을 완성할 수 있는 방법은 모두 몇 가지인지 구하세요.

- 1과 4는 한 칸 떨어져 있습니다.
- 1과 2는 서로 이웃하지 않습니다.

수 퍼즐을 어떻게 쉽게 풀까요?

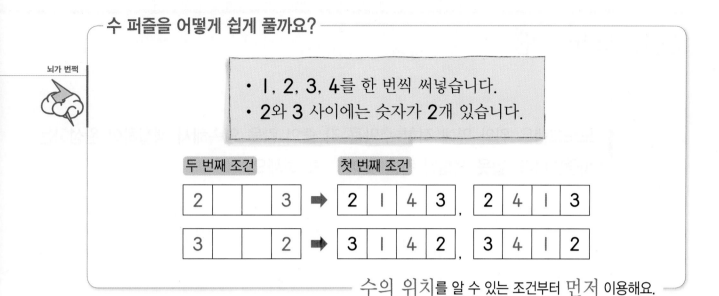

- **1, 2, 3, 4**를 한 번씩 써넣습니다.
- **2**와 **3** 사이에는 숫자가 **2**개 있습니다.

두 번째 조건

| 2 | | | 3 |

첫 번째 조건

| 2 | 1 | 4 | 3 | , | 2 | 4 | 1 | 3 |

| 3 | | | 2 |

| 3 | 1 | 4 | 2 | , | 3 | 4 | 1 | 2 |

수의 위치를 알 수 있는 조건부터 먼저 이용해요.

**최상위
사고력**

연속한 수가 서로 이웃하지 않도록 **1, 2, 3, 4**를 한 번씩 써넣어 두 가지 방법으로 퍼즐을 완성하세요.

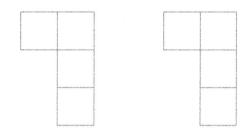

💡 연속한 수는 **1, 2, 3** 또는 **2, 3, 4**와 같이 **1**씩 커지는 수예요.

정답과 풀이 6쪽 ▶

2-3. 노노그램

1 노노그램은 위와 옆에 적힌 수만큼 각 줄의 칸을 연속해서 색칠하여 완성하는 퍼즐입니다. 잘못 색칠된 칸을 찾아 ╳표 하세요.

(1)
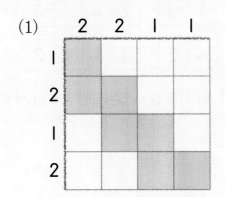

(2)
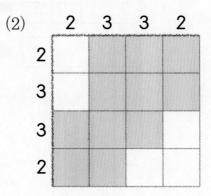

2 위와 옆에 적힌 수만큼 각 줄의 칸을 연속해서 색칠하여 노노그램을 완성하세요.

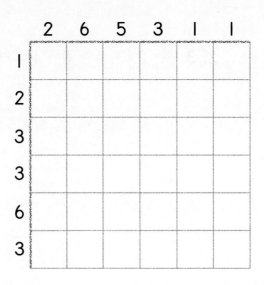

노노그램을 어떻게 완성할까요?

뇌가 번쩍

한 줄을 모두 색칠할 수 있는 줄을 찾아 색칠합니다.

색칠할 수 없는 칸에 ×표 합니다.

나머지 칸을 색칠하거나 ×표 하여 완성합니다.

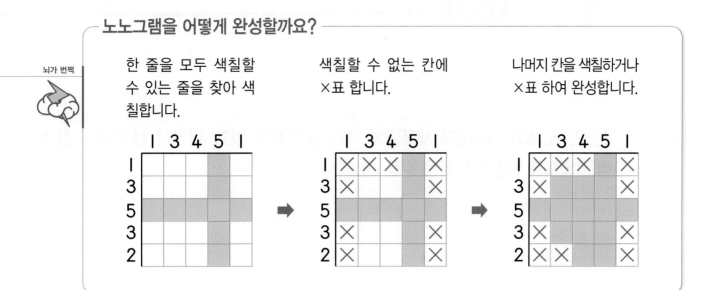

다음은 위와 옆에 적힌 수만큼 각 줄의 점을 지나도록 선을 이어 완성하는 퍼즐입니다. •부터 시작하여 •까지 선을 이어 퍼즐을 완성하세요. (단, 선은 가로, 세로 방향으로만 이을 수 있습니다.)

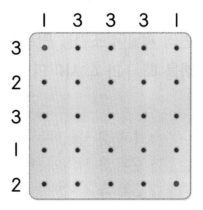

정답과 풀이 7쪽 ▶

최상위 사고력

1 1, 2, 3, 4가 가로줄과 세로줄에 각각 한 번씩만 있고, 빨간색 선 안에도 한 번씩만 있도록 빈칸에 알맞은 수를 써넣으세요.

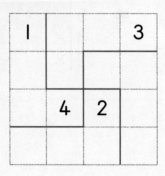

2 1, 2, 3, 4를 한 번씩 써넣어 조건을 만족하는 수 퍼즐을 완성하려고 합니다. 1과 4 사이가 가장 가까울 때 1과 4 사이의 칸은 몇 칸인지 구하세요.

> - 1과 2 사이에는 4칸이 있습니다.
> - 2와 3 사이에는 2칸이 있습니다.
> - 3과 4 사이에는 3칸이 있습니다.

💡 모든 칸에 수를 써넣어야 하는 것은 아니에요.

3 수 카드를 한 번씩만 사용하여 만들 수 있는 수를 모두 구하세요.

| 8 | 3 | 1 | 6 | 5 |

- 수 카드 **2**장을 사용합니다.
- **20**보다 작은 수입니다.
- 짝수입니다.

4 노노그램을 두 가지 방법으로 완성하세요.

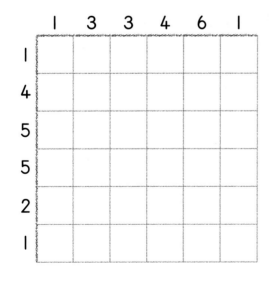 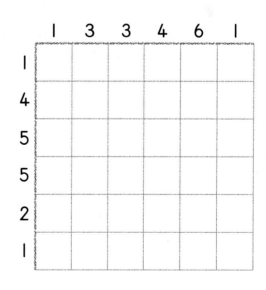

정답과 풀이 8쪽 ▶

1 윤호와 선우가 놀이터에 도착한 시각을 바르게 읽어보려고 합니다. ☐ 안에 알맞은 말을 써넣으세요.

나는 놀이터에 11시 13분에 도착했어.

나는 12시 17분에 도착했지.

윤호   선우

윤호 ☐ 시 ☐ 분

선우 ☐ 시 ☐ 분

2 |보기|와 같이 색칠된 칸에서 출발하여 1 큰 수나 1 작은 수가 있는 칸으로 이동하여 완성하는 퍼즐입니다. 마지막에 도착하는 수를 구하세요. (단, 가로, 세로 방향으로만 이동할 수 있습니다.)

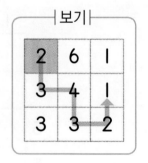

|보기|

2	6	1
3	4	1
3	3	2

4	4	5	1	3
6	7	6	2	4
5	4	4	5	3
1	3	2	1	2
2	5	5	1	2

3 위와 옆에 적힌 수만큼 각 줄의 칸을 연속해서 색칠하여 노노그램을 완성하세요.

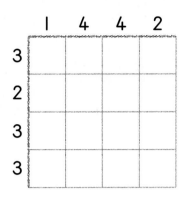

4 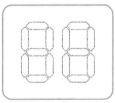 7칸을 색칠해서 20보다 작은 수를 만들려고 합니다. 가장 큰 수와 가장 작은 수를 만드세요.

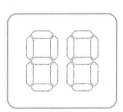

가장 큰 수   가장 작은 수

5　민서의 생일은 5월 며칠인지 구하세요.

나는 5월에 20보다 작은 수 중에서 홀수가 아니고, 17보다 큰 수인 날짜에 태어났어.

민서

6　2, 7, 11, 13, 19를 한 번씩 써넣어 수 퍼즐을 완성하세요.

- 오른쪽(→) 방향으로 수가 커집니다.
- 위쪽(↑) 방향으로 수가 커집니다.

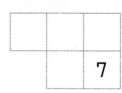

도형

3-1. 오른쪽과 왼쪽

1 그림을 보고 알맞은 손에 깃발을 그리세요.

(1)   앞   뒤   (2)   뒤   앞

땀이 뻘뻘

2 다음을 읽고 연우, 가희, 지오의 위치를 찾아 이름을 쓰세요.

> • 연우의 오른쪽에 민우가 있습니다.
> • 가희의 왼쪽에 지오가 있습니다.
> • 지오의 오른쪽에 가희가 있습니다.

민우

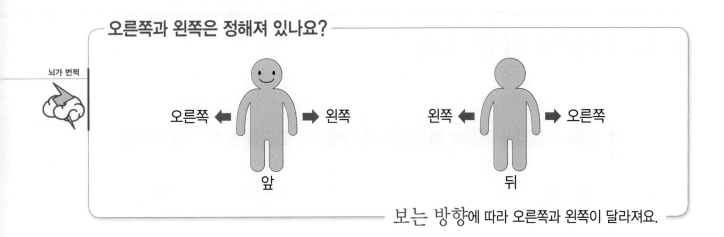

오른쪽과 왼쪽은 정해져 있나요?

보는 방향에 따라 오른쪽과 왼쪽이 달라져요.

최상위 사고력

은수는 명령 기호에 따라 집에 갔습니다. 은수가 집에 가는 데 알맞은 명령 기호를 차례로 쓰세요.

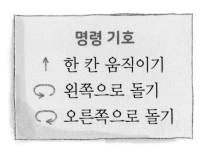

명령 기호

↑ 한 칸 움직이기

↺ 왼쪽으로 돌기

↻ 오른쪽으로 돌기

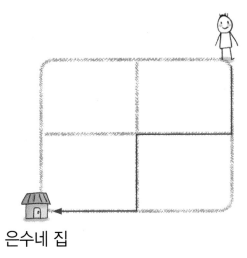

은수네 집

 정답과 풀이 11쪽 ▶

3-2. 거울에 비친 모습

1 왼쪽 우유갑을 거울에 비추었을 때 나타나는 모습을 찾아 ○표 하세요.

💡 글자 '우유'의 방향도 살펴보세요.

  2 |보기|와 같이 디지털 수로 만든 수를 거울에 비추었을 때 나타나는 수를 ☐ 안에 알맞게 써넣으세요.

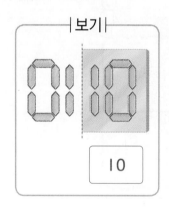

| 보기 |

10

(1)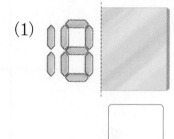

(2)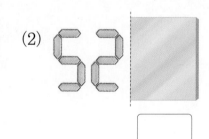

💡 디지털 수는 **0,1,2,3,4,5,6,7,8,9**와 같이 나타내요.

거울에 비친 모양은 무엇이 바뀌었을까요?

오른쪽과 왼쪽이 바뀌어 보입니다.

최상위 사고력 글자 카드를 거울에 비추었을 때 거울에 비친 글자가 처음과 같은 글자 카드를 모두 찾아 ○표 하세요.

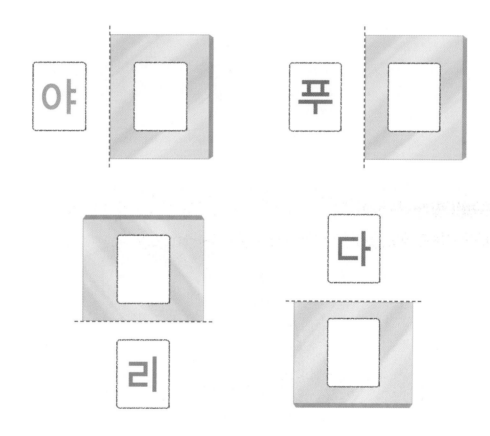

정답과 풀이 12쪽 ▶

3-3. 같은 모양과 다른 모양

1 왼쪽 모양을 돌렸을 때 같은 모양을 찾아 ○표 하세요.

(1)
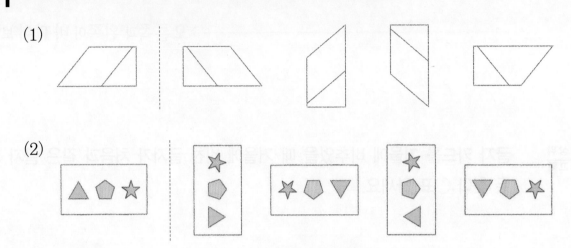

(2)

2 여러 장의 자음 카드 중에서 잘못된 자음 카드를 모두 찾아 ○표 하세요.

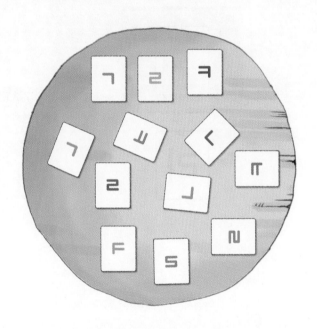

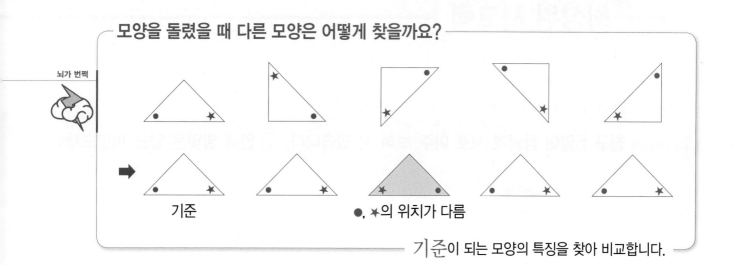

모양을 돌렸을 때 다른 모양은 어떻게 찾을까요?

기준

●, ★의 위치가 다름

기준이 되는 모양의 특징을 찾아 비교합니다.

최상위 사고력 다음 중 다른 모양을 찾아 ○표 하세요.

정답과 풀이 13쪽 ▶

1 친구 5명이 둥글게 서로 마주 보며 서 있습니다. ☐ 안에 알맞은 말을 써넣으세요.

민서

은우

지우

가연 정환

(1) 정환이는 지우의 ☐ 쪽에 있습니다.

(2) 은우의 왼쪽에 ☐ (이)가 있습니다.

(3) 민서의 ☐ 쪽에 있는 친구와 정환이의

☐ 쪽에 있는 친구는 같습니다.

2 학교, 문구점, 서점, 놀이터의 위치를 찾아 ☐ 안에 알맞은 장소를 써넣으세요.

* 놀이터의 북쪽에 문구점이 있습니다.
* 학교의 남쪽에 서점이 있고, 동쪽에 문구점이 있습니다.

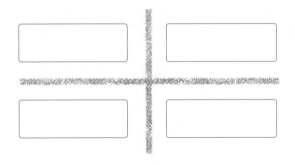

북
서 4 동
남

3 가연이가 3개의 거울로 둘러싸인 곳에 앞을 보고 서서 왼쪽 팔을 들고 있습니다. 거울 ㉠, ㉡, ㉢에 비친 모습 중 잘못된 모습을 찾아 기호를 쓰세요.

4 주어진 수 카드와 같은 수 카드를 가지고 있는 사람의 이름을 쓰세요.

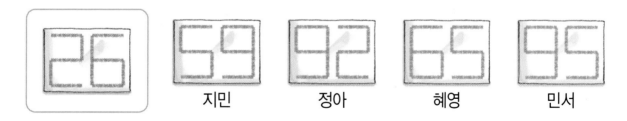

정답과 풀이 14쪽 ▶

4-1. 똑같은 모양 찾기

1 오른쪽 모양은 주어진 모양과 똑같은 모양입니다. 오른쪽 모양에서 파란색 쌓기나무의 위치를 찾아 색칠하세요.

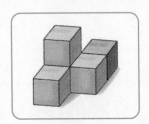 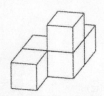

땀이 뻘뻘

2 왼쪽과 똑같은 모양에 ○표, 오른쪽과 똑같은 모양에 △표 하세요.

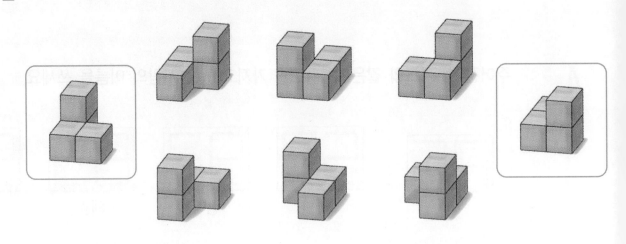

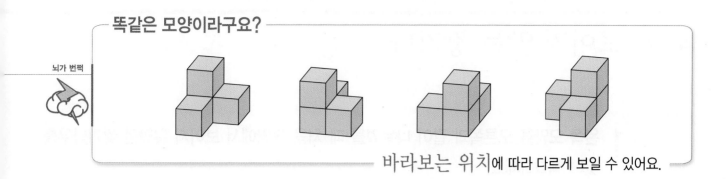

똑같은 모양이라구요?

뇌가 번쩍

바라보는 **위치**에 따라 다르게 보일 수 있어요.

**최상위
사고력** 민수, 지아, 연우, 은희는 각각 모양을 만들고, 위에서 본 모양에 쌓기나무의 개수를 써넣어 만든 모양을 나타내었습니다. 주어진 쌓기나무 모양과 똑같은 모양을 만든 사람을 찾아 이름을 쓰세요.

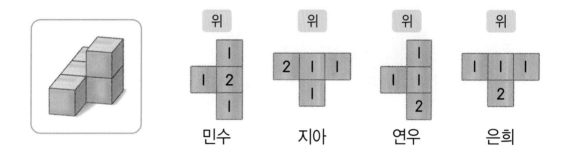

민수   지아   연우   은희

정답과 풀이 15쪽 ▶

4-2. 보이지 않는 쌓기나무

1 왼쪽 모양을 오른쪽과 같이 나누었을 때 처음 모양에서 보이지 않았던 쌓기나무를 찾아 색칠하세요.

(1)

(2)

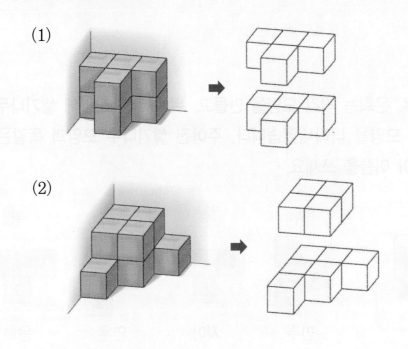

 2 다음 모양에서 보이는 쌓기나무와 보이지 않는 쌓기나무는 각각 몇 개인지 ☐ 안에 알맞은 수를 써넣으세요.

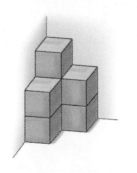

보이는 쌓기나무 ☐ 개

보이지 않는 쌓기나무 ☐ 개

보이지 않는 쌓기나무는 어떻게 찾을까요?

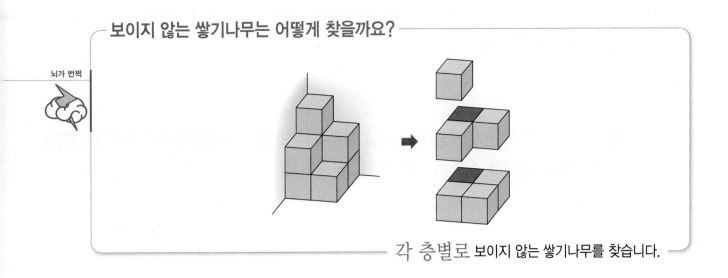

각 층별로 보이지 않는 쌓기나무를 찾습니다.

정답과 풀이 16쪽 ▶

최상위 사고력

왼쪽 모양과 보이지 않는 쌓기나무의 개수가 같은 모양을 찾아 기호를 쓰세요.

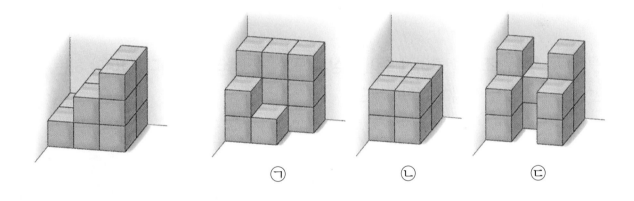

정답과 풀이 16쪽 ▶

4-3. 모양 만들기

1 |보기|와 같이 왼쪽 모양에서 가장 적은 개수의 쌓기나무를 옮겨서 오른쪽 모양을 만들려고 합니다. 옮겨야 하는 쌓기나무에 ○표 하세요.

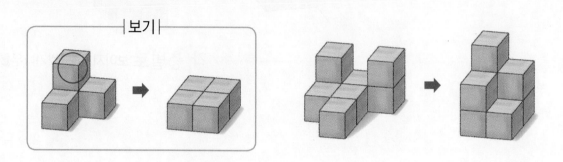

2 두 조각을 붙여서 주어진 상자 모양을 만들려고 합니다. 붙여야 하는 두 조각의 기호를 짝지어 나타내세요.

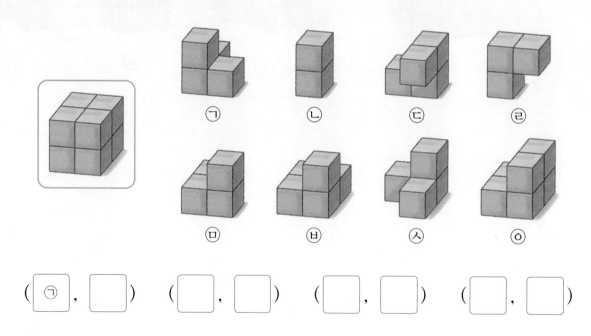

(㉠ , ☐)   (☐ , ☐)   (☐ , ☐)   (☐ , ☐)

💡 쌓기나무를 붙여서 여러 가지 모양을 만들 때는 쌓기나무가 반드시 바닥에 닿지 않아도 돼요.

두 조각을 붙여서 어떤 모양을 만들 수 있을까요?

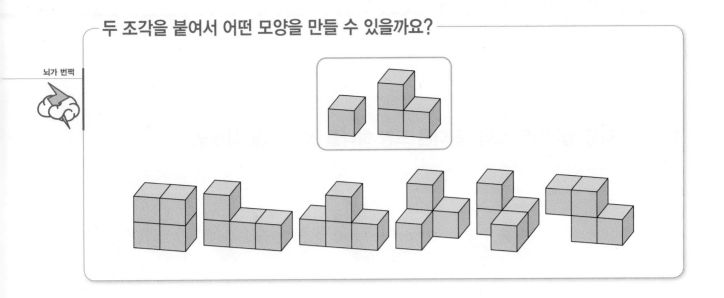

정답과 풀이 17쪽 ▶

최상위 사고력

다음과 같은 두 종류의 조각을 가장 적게 이용하여 세 가지 모양을 만들었습니다. 이용한 조각의 수가 다른 모양에 ○표 하세요.

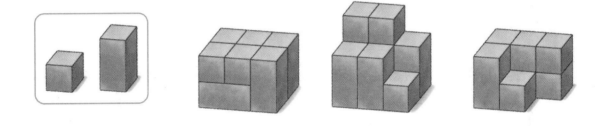

1 다음 쌓기나무 모양 중 다른 모양 하나를 찾아 ◯표 하세요.

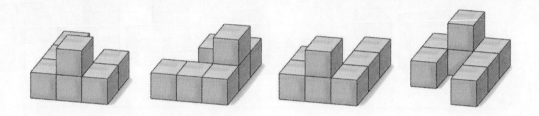

2 왼쪽 모양의 바닥면을 제외한 겉면에 모두 초록색 페인트를 칠했습니다. 초록색 페인트가 하나도 칠해지지 않은 쌓기나무는 모두 몇 개인지 구하세요.

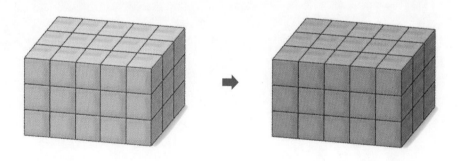

3 위에서 본 모양이 다음과 같이 되도록 쌓기나무 5개를 쌓는 방법은 모두 몇 가지 인지 구하세요. (단, 돌렸을 때 같은 모양은 한 가지로 생각합니다.)

4 쌓기나무 4개를 쌓아서 2층인 모양을 만들려고 합니다. 만들 수 있는 서로 다른 모양은 모두 몇 가지인지 구하세요. (단, 돌렸을 때 같은 모양은 한 가지로 생각합 니다.)

정답과 풀이 18쪽 ▶

1 지호와 선희의 모습을 보고 알맞은 것을 모두 찾아 기호를 쓰세요.

지호   선희

ⓐ 지호는 왼손에 사탕을 들고 있습니다.

ⓑ 선희는 오른손을 들고 있습니다.

ⓒ 지호는 오른손에 사탕을 들고 있습니다.

ⓓ 선희는 왼손을 들고 있습니다.

2 미로를 통과하는 길을 그리고, 미로를 통과하기 위해 오른쪽, 왼쪽으로 각각 방향을 몇 번 바꿔야 하는지 차례로 쓰세요.

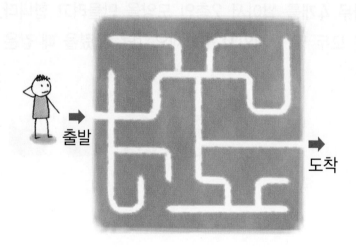

출발

도착

3 다음 쌓기나무 모양 중 다른 모양 하나를 찾아 기호를 쓰세요.

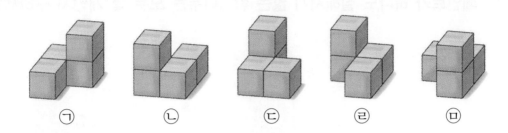

4 주어진 두 조각을 붙여서 만들 수 없는 모양을 모두 찾아 기호를 쓰세요.

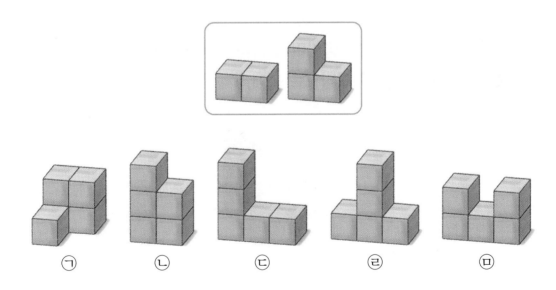

5 왼쪽 모양의 바닥면을 제외한 겉면에 모두 하늘색 페인트를 칠했습니다. 하늘색 페인트가 하나도 칠해지지 않은 쌓기나무는 모두 몇 개인지 구하세요.

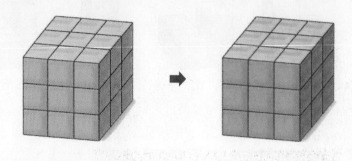

6 왼쪽과 같은 모양의 초콜릿이 있습니다. 이 초콜릿을 선을 따라 자를 수 있다고 할 때 오른쪽과 같은 모양으로 최대 몇 개까지 자를 수 있는지 구하세요.

확률과 통계

5-1. 한 가지 기준으로 분류하기

1 동물을 보고 물음에 답하세요.

상어   뱀   개   달팽이   독수리

앵무새   호랑이   코끼리   비둘기   기린

(1) 동물을 다리 수에 따라 분류한 것입니다. 빈칸에 알맞은 수나 말을 써넣어 표를 완성하세요.

다리 수	0개	2개	
동물 이름			

(2) 기준을 정하여 동물을 분류하세요.

분류 기준:

동물 이름			

분류 기준을 어떻게 세워야 할까요?

혜나

좋아하는 숫자

1   15
  3   7

좋아하지 않는 숫자

  11   9
    5   13

연호

좋아하는 숫자

7   11
  5   9

좋아하지 않는 숫자

1   3
  13   15

➡ 사람에 따라 분류한 결과가 다릅니다.

분류 결과가 같도록 **명확**해야 해요.

최상위 사고력

인형을 여러 가지 기준으로 분류하고 그 수를 세어 보세요.

모양	◯	▽	▢
인형 수(개)			

눈의 수(개)			
인형 수(개)			

색깔	▨	▨	▨
인형 수(개)			

뿔의 수(개)			
인형 수(개)			

정답과 풀이 21쪽 ▶

5-2. 분류 기준 찾기

1 여러 가지 젤리를 분류하였습니다. 분류 기준을 찾아 ◯표 하세요.

(1)

색깔   크기   모양

(2)

색깔   크기   모양

2 여러 가지 단추를 분류하였습니다. ☐ 안에 알맞은 분류 기준을 쓰세요.

(1)

(2)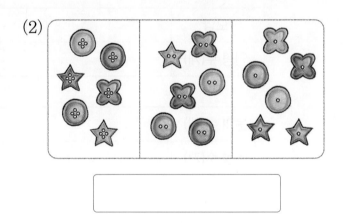

분류 기준을 어떻게 찾을까요?

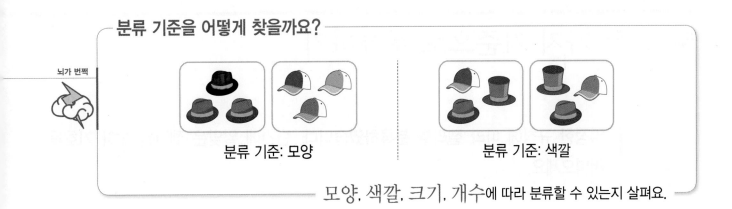

분류 기준: 모양　　　　　　　분류 기준: 색깔

모양, 색깔, 크기, 개수에 따라 분류할 수 있는지 살펴요.

뇌가 번쩍

**최상위
사고력**

다음과 같이 글자를 분류하였습니다. 분류 기준을 찾아 빈칸에 알맞은 글자를 써 넣으세요.

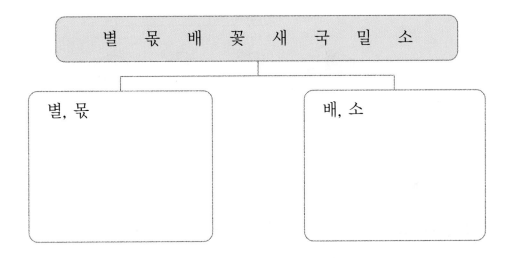

별　몫　배　꽃　새　국　밀　소

별, 몫

배, 소

5-3. 두 가지 기준으로 분류하기

1 일정한 규칙에 따라 젤리를 분류하였습니다. 빈칸에 알맞은 젤리를 찾아 기호를 써넣으세요.

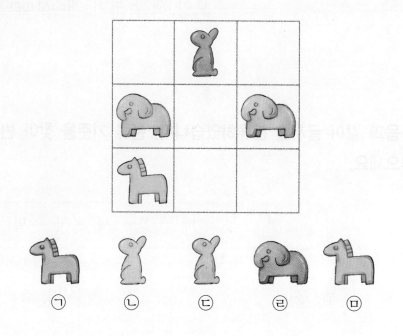

2 분류표를 보고 잘못 분류된 모양을 모두 찾아 ✕표 하세요.

모양＼색깔	같은 색깔	다른 색깔
같은 모양		
다른 모양		

두 가지 기준으로 분류한 표는 어떻게 채울까요?

색깔 \ 모양	빨간색	파란색
△	빨간색과 세모	파란색과 세모
□	빨간색과 네모	파란색과 네모

➡

색깔 \ 모양	빨간색	파란색
△	▲	▲
□	■	■

각각의 칸에 **두 가지 기준**을 모두 만족하는 모양을 채워요.

최상위 사고력

수 카드를 분류하려고 합니다. 빈칸에 알맞은 수 카드를 써넣어 분류표를 완성하세요.

| 2 | 8 | 14 | 9 | 20 |

| 19 | 16 | 3 | 11 | 5 |

	10보다 작은 수	10보다 큰 수
홀수		
짝수		

정답과 풀이 23쪽 ▶

1   모양 카드를 여러 가지 기준으로 분류하고 그 수를 세어 보세요.

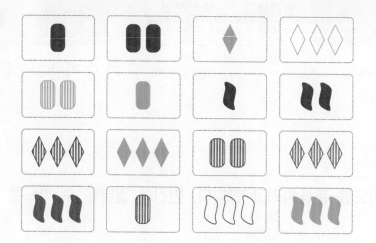

모양 수(개)	l	2	
카드 수(장)			

모양			
카드 수(장)			

2   어떤 기준에 따라 주머니에 구슬을 담았습니다. 구슬을 담은 기준은 무엇입니까?

3 두 가지 기준으로 카드를 분류하였습니다. 분류 기준을 알맞게 써넣어 분류표를 완성하세요.

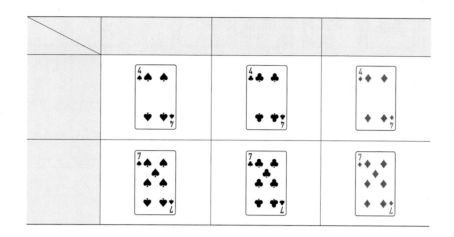

4 일정한 규칙에 따라 단추를 분류하였습니다. 빈칸에 알맞은 단추를 찾아 기호를 써넣으세요.

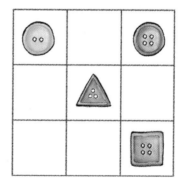

 ㉠   ㉡   ㉢   ㉣   ㉤   ㉥   ㉦   ㉧

6-1. 공통점과 차이점

1 왼쪽에 놓인 6개 그림과 오른쪽에 놓인 6개 그림의 차이점을 쓰세요.

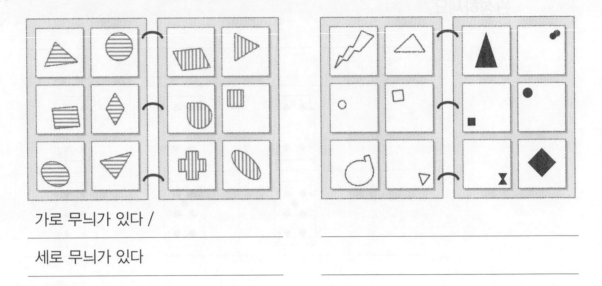

가로 무늬가 있다 /

세로 무늬가 있다

땀이 뻘뻘

2 공통점이 있는 것끼리 가 와 나 에 나누어 놓았습니다. ☐ 안에 주어진 그림을 놓을 수 있는 곳의 기호를 써넣으세요.

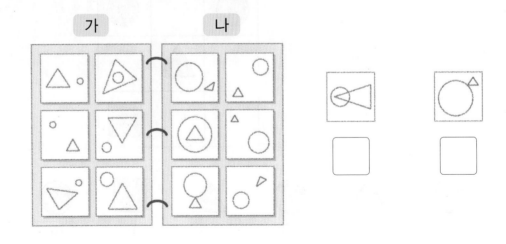

공통점과 차이점은 어떻게 찾을까요?

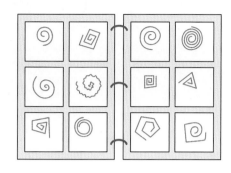

- **크기**: 그림의 크기 차이가 없음

- **색깔**: 그림의 색깔이 같음

- **모양**: 왼쪽 그림은 시계 방향으로 회전
  오른쪽 그림은 시계 반대 방향으로 회전

크기, 색깔, 모양 등의 **기준**을 하나씩 **따져보며** 찾아요.

최상위 사고력

공통점이 있는 것끼리 왼쪽과 오른쪽에 나누어 놓았습니다. 잘못 놓인 그림을 모두 찾아 ✕표 하세요.

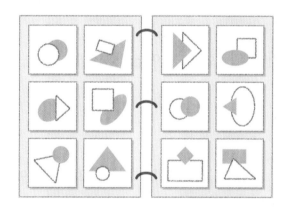

6-2. 이름 약속

1 다음을 보고 물음에 답하세요.

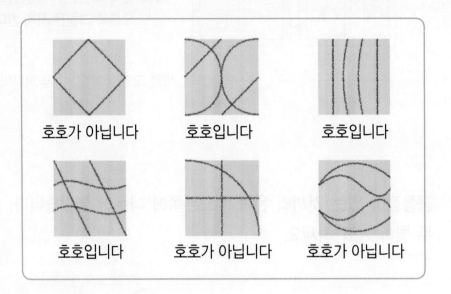

(1) '호호'인 것과 '호호'가 아닌 것으로 나누는 기준을 쓰세요.

(2) 주어진 그림이 '호호'이면 ○표, '호호'가 아니면 ✕표 하세요.

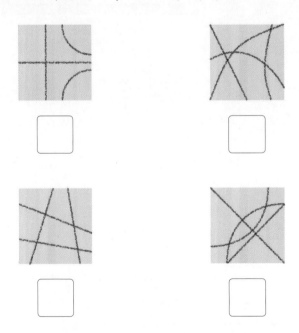

밍밍과 밍밍이 아닌 것의 기준을 어떻게 찾을까요?

밍밍입니다

➡ 다리가 **4**개인 동물

밍밍이 아닙니다

➡ 다리가 **4**개가 아닌 동물

공통점과 차이점을 살펴보세요.

최상위 사고력

다음을 보고 '곰곰'인 모양과 '곰곰'이 아닌 모양을 그리세요.

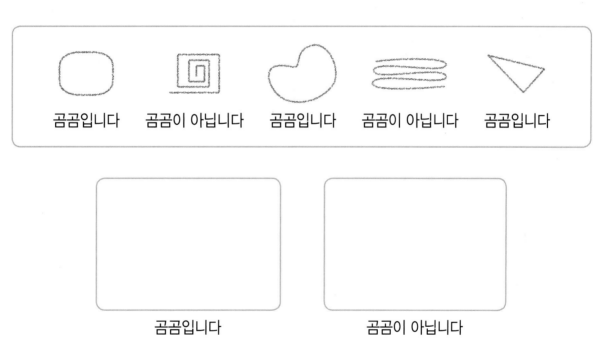

곰곰입니다 　 곰곰이 아닙니다 　 곰곰입니다 　 곰곰이 아닙니다 　 곰곰입니다

곰곰입니다

곰곰이 아닙니다

TIP 선의 형태를 살펴보세요.

6-3. 벤 다이어그램

1 두 가지 기준을 모두 만족하는 것을 찾아 빈칸에 알맞은 기호를 쓰세요.

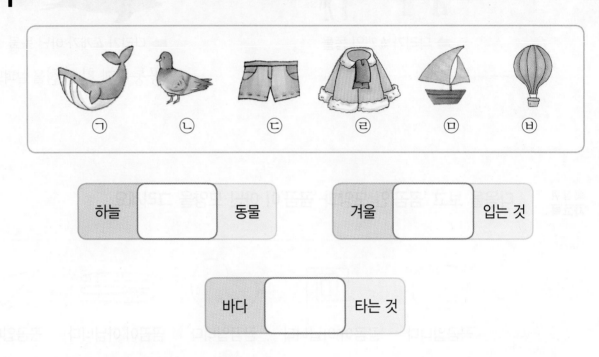

| 하늘 | | 동물 |

| 겨울 | | 입는 것 |

| 바다 | | 타는 것 |

2 벤 다이어그램에서 잘못 들어간 것을 찾아 알맞은 위치로 옮기세요.

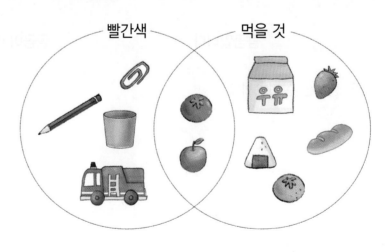

벤 다이어그램으로 알 수 있는 것은 무엇일까요?

뇌가 번쩍

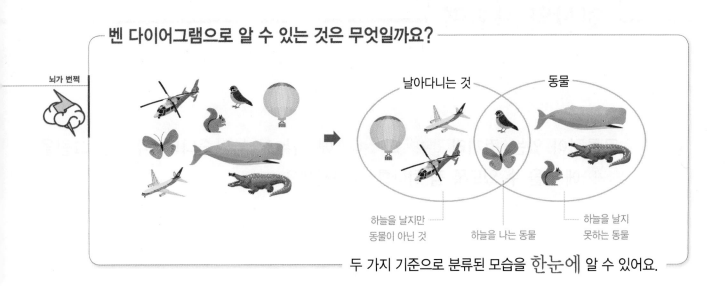

날아다니는 것   동물

하늘을 날지만 동물이 아닌 것   하늘을 나는 동물   하늘을 날지 못하는 동물

두 가지 기준으로 분류된 모습을 한눈에 알 수 있어요.

최상위 사고력

☐ 안에 알맞은 기준을 쓰고, 알맞은 곳에 단어를 모두 써넣으세요.

| 요트 | 고래 | 유람선 | 오징어 |
| 사슴 | 잠수함 | 사자 | 독수리 |

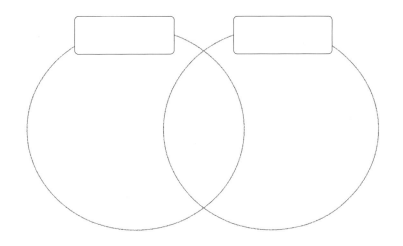

1 공통점이 있는 것끼리 가 와 나 에 나누어 놓았습니다. 주어진 그림을
가 에 놓을 수 있도록 점 하나를 더 그리세요.

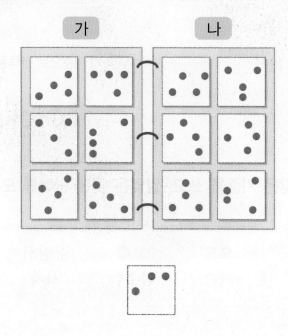

2 6개의 모양 중 다른 속성을 가진 모양 1개를 찾아 ○표 하세요.

3 벤 다이어그램의 색칠한 부분에 들어갈 알맞은 수를 쓰세요.

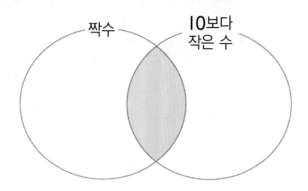

짝수   10보다 작은 수

4 벤 다이어그램의 색칠한 부분에 들어갈 수 있는 것을 찾아 기호를 쓰세요.

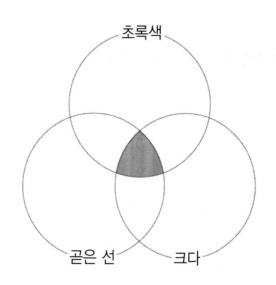

초록색

곧은 선   크다

㉠    ㉡   ㉢   ㉣   ㉤

1 ☐ 안에 알맞은 분류 기준을 쓰세요.

---

2 다음을 보고 모모는 무엇인지 쓰세요.

모모입니다

모모가 아닙니다

3 벤 다이어그램에서 잘못 들어간 것을 찾아 알맞은 위치로 옮기세요.

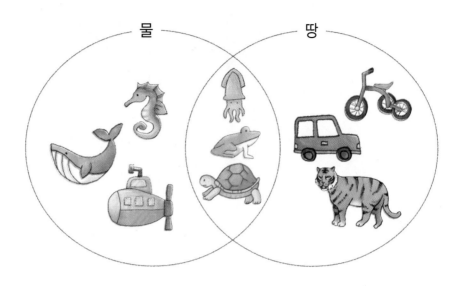

4 서로 다른 기준으로 카드를 3장씩 분류했습니다. 나머지 한 장의 카드로 알맞은 것을 찾아 기호를 쓰세요.

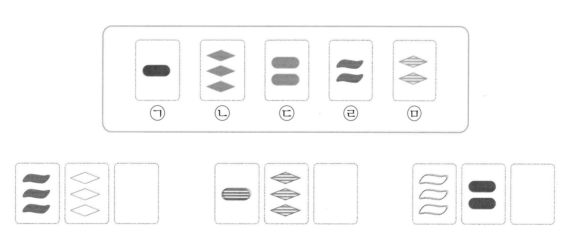

5 왼쪽에 놓인 6개 그림과 오른쪽에 놓인 6개 그림의 차이점을 쓰세요.

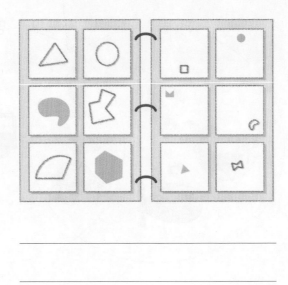

_____

_____

6 일정한 규칙에 따라 과자를 분류하였습니다. 빈칸에 알맞은 과자의 기호를 써넣으세요.

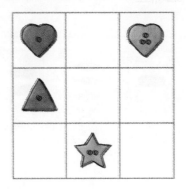

ㄱ　　　　　ㄴ　　　　　ㄷ　　　　　ㄹ　　　　　ㅁ

측정

7-1. 길이 비교하기(1)

1 배 4척에서 각각 닻을 내렸습니다. 물음에 알맞은 기호를 쓰세요.

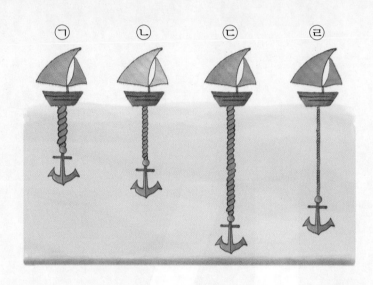

(1) 닻을 맨 줄이 가장 긴 배는 무엇입니까?

(2) 닻을 바닥에 가장 가깝게 내린 배는 무엇입니까?

(3) 닻을 맨 줄이 가장 굵은 배는 무엇입니까?

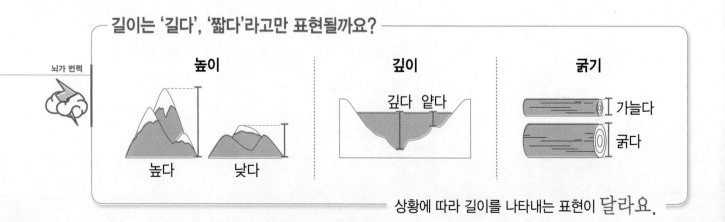

길이는 '길다', '짧다'라고만 표현될까요?

높이	깊이	굵기
높다 낮다	깊다 얕다	가늘다 굵다

상황에 따라 길이를 나타내는 표현이 달라요.

지수네 집에서 가까운 곳에 사는 친구 순서대로 이름을 쓰세요.

 희재네 집

 윤주네 집

 현우네 집

시호네 집

 지수네 집

💡 가까운 곳은 거리가 짧은 곳을 뜻해요.

굵기가 다른 통나무에 끈을 4번씩 감았습니다. 사용한 끈의 길이가 가장 긴 것의 기호를 쓰세요.

㉠

㉡

㉢

㉣

💡 통나무의 굵기와 사용한 끈의 길이 사이의 관계를 찾아보세요.

정답과 풀이 31쪽 ▶

7-2. 길이 비교하기(2)

1 키가 큰 동물 순서대로 이름을 쓰세요.

개   타조   돼지   거위

땀이 뻘뻘

2 나무에 길이가 같은 못 4개가 박혀 있습니다. 가장 깊게 박힌 못에 ○표 하세요.

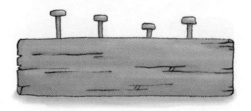

보이지 않는 부분의 길이는 어떻게 비교할까요?

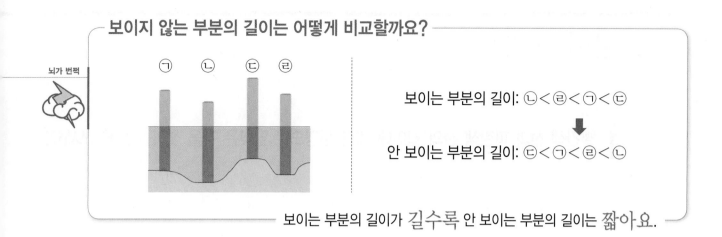

보이는 부분의 길이: ⓛ<ⓐ<ㄱ<ⓒ

↓

안 보이는 부분의 길이: ⓒ<ㄱ<ⓐ<ⓛ

보이는 부분의 길이가 길수록 안 보이는 부분의 길이는 짧아요.

최상위 사고력

길이가 같은 막대를 페인트 통의 바닥까지 닿게 넣었다 뺐습니다. 페인트가 적게 담긴 페인트 통 순서대로 색깔을 쓰세요.

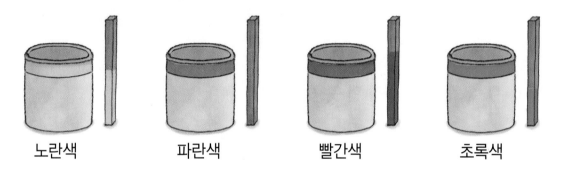

| 노란색 | 파란색 | 빨간색 | 초록색 |

💡 페인트 통의 크기와 모양은 모두 같아요.

7-3. 길이 재기

1 빨간색 선과 파란색 선의 길이에 대한 설명으로 알맞은 것을 찾아 기호를 쓰세요.

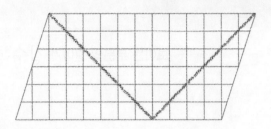

ㄱ 빨간색 선이 파란색 선보다 더 깁니다.
ㄴ 파란색 선이 빨간색 선보다 더 깁니다.
ㄷ 빨간색 선과 파란색 선의 길이가 같습니다.

2 유치원에서 가장 먼 곳을 쓰세요.

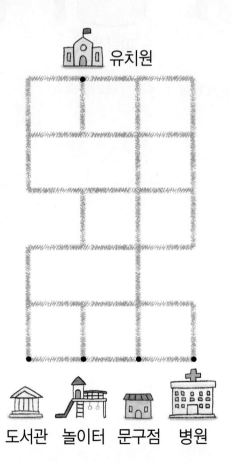

모눈에서 길이를 어떻게 비교할까요?

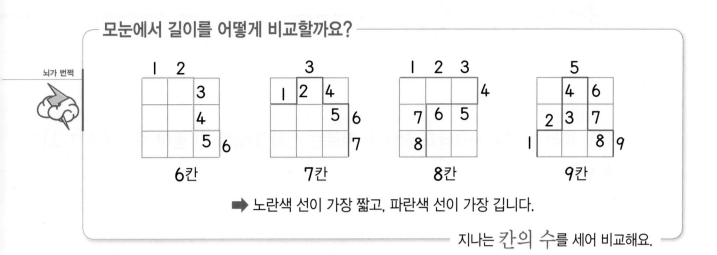

6칸 7칸 8칸 9칸

➡ 노란색 선이 가장 짧고, 파란색 선이 가장 깁니다.

지나는 **칸의 수**를 세어 비교해요.

최상위 사고력 한 칸의 길이가 1인 모눈 위에 색 테이프를 3번 접어 놓았습니다. 색 테이프의 길이를 구하세요.

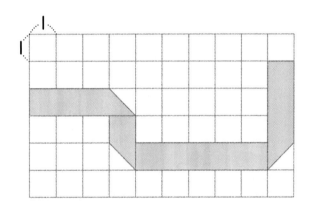

정답과 풀이 33쪽 ▶

1 선을 따라 종이를 자르려고 합니다. 자르는 선의 길이가 긴 종이 순서대로 기호를 쓰세요.

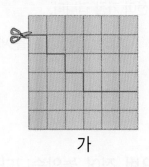 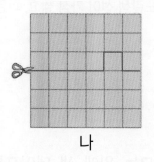 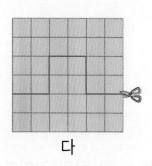

가 나 다

2 개미가 보라색 선을 따라 파란색 점으로 기어 갑니다. 개미가 기어 가는 길이 가장 짧은 것에 ○표, 가장 긴 것에 △표 하세요.

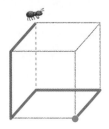 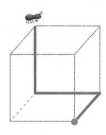 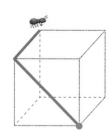 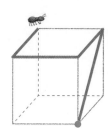

3 각각의 음료수를 놓을 수 있는 곳을 찾아 ☐ 안에 알맞은 기호를 써넣으세요.

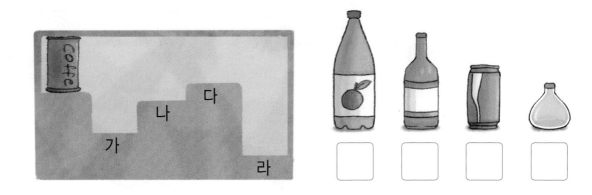

4 똑같은 상자를 3가지 방법으로 포장하였습니다. 사용된 리본의 길이가 긴 상자 순서대로 기호를 쓰세요.

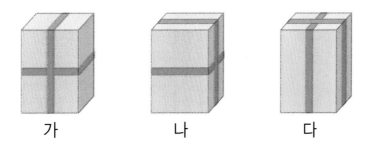

8-1. 무게 비교하기

1 다음을 보고 잘못된 저울을 모두 찾아 ✕표 하세요.

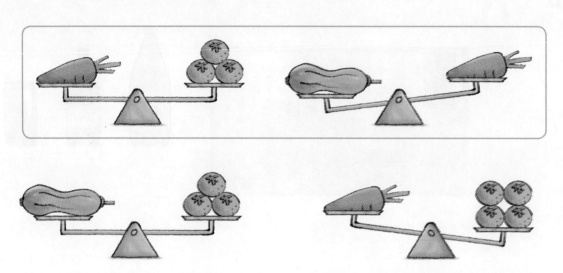

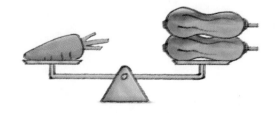

무게를 어떻게 비교할까요?

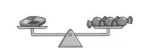 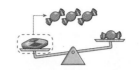 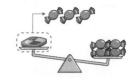

쿠키 **|**개와 사탕 **3**개의
무게는 같습니다.

쿠키 **|**개는 사탕 **|**개보다
무겁습니다.

쿠키 **|**개는 사탕 **4**개보다
가볍습니다.

무게가 같은 것으로 바꾸어 비교해요.

**최상위
사고력**

연필, 크레파스, 지우개의 무게를 비교한 것입니다. 무거운 학용품 순서대로 이름을
쓰세요.

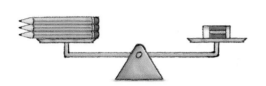 

정답과 풀이 35쪽 ▶

8-2. 넓이 비교하기

1 주어진 조각 여러 개로 만든 모양입니다. 사용한 조각은 모두 몇 개입니까?

(단, 조각을 잘라도 됩니다.)

 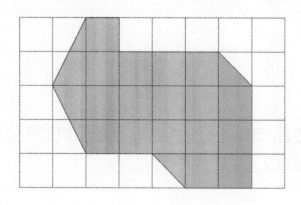

2 초록색 땅에는 고구마를 심고, 나머지 땅에는 감자를 심었습니다. 더 넓은 땅에 심은 것은 무엇입니까?

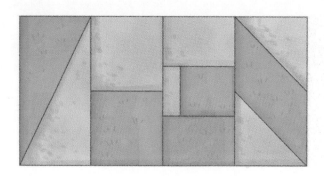

뇌가 번쩍

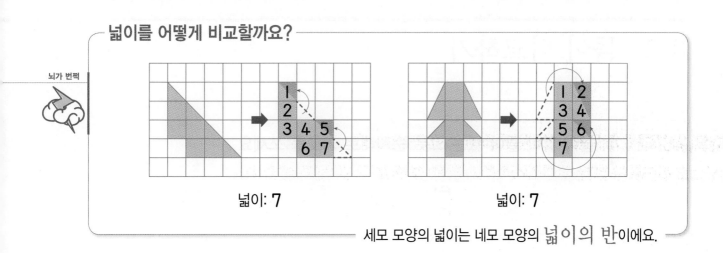

넓이: 7

넓이: 7

세모 모양의 넓이는 네모 모양의 넓이의 반이에요.

최상위 사고력 다음과 같이 종이에 물감으로 색칠했습니다. 가장 넓은 부분을 색칠한 물감은 무슨 색입니까?

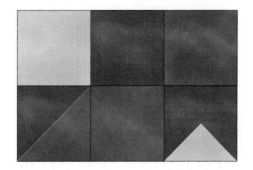

정답과 풀이 36쪽 ▶

8-3. 들이 비교하기

1 물이 많이 들어 있는 그릇 순서대로 기호를 쓰세요.

가　　　　　나　　　　　다

TIP 물의 높이를 살펴보세요.

2 똑같은 크기의 물통에 음료수를 가득 담아서 주어진 그릇에 가득 담으려고 합니다. 물통에 남은 음료수의 양이 가장 많은 그릇에 ○표, 가장 적은 그릇에 △표 하세요.

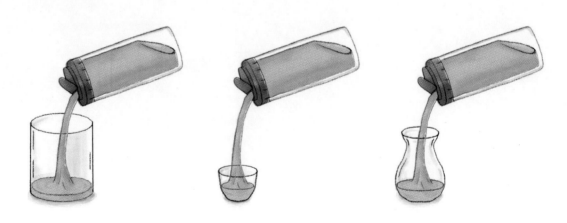

물의 양을 어떻게 비교할까요?

그릇의 크기가 같을 때	물의 높이가 같을 때
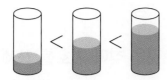	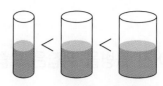
➡ 물의 높이가 높을수록 물의 양이 많아요.	➡ 그릇의 크기가 클수록 물의 양이 많아요.

그릇의 크기 또는 물의 높이를 비교해요.

최상위 사고력

다음을 보고 ☐ 안에 알맞은 기호를 써넣으세요.

> • 가 그릇에 물을 가득 채워 나 그릇에 부으면 물이 넘칩니다.
> • 다 그릇에 물을 가득 채워 가 그릇에 부으면 물이 넘칩니다.

☐ ☐ ☐

정답과 풀이 37쪽 ▶

1 주어진 물병을 뒤집은 모습으로 알맞은 것을 찾아 기호를 쓰세요.

가

나

다

라

2 다음은 7개의 조각으로 이루어진 칠교판입니다. 주어진 조각과 넓이가 같은 조각을 모두 찾아 기호를 쓰세요.

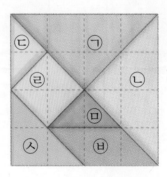

(1)

(2)
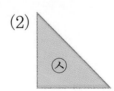

3 다음을 보고 알맞은 설명을 모두 찾아 기호를 쓰세요.

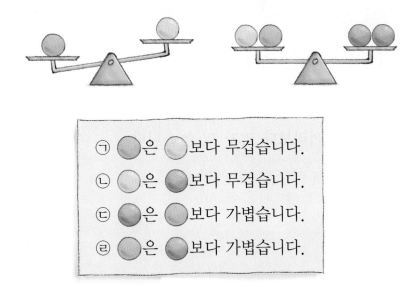

ㄱ ◯은 ◯보다 무겁습니다.

ㄴ ◯은 ◯보다 무겁습니다.

ㄷ ◯은 ◯보다 가볍습니다.

ㄹ ◯은 ◯보다 가볍습니다.

4 지우개, 풀, 공책, 크레파스의 무게를 비교한 것입니다. 가벼운 물건 순서대로 이름을 쓰세요.

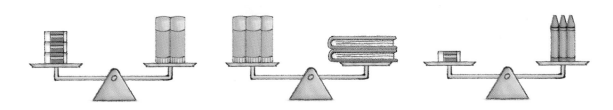

정답과 풀이 38쪽 ▶

1 밑줄 친 부분을 바르게 고치세요.

(1) 어린이 수영장의 물은 <u>낮습니다</u>.

(2) 느티나무 줄기는 <u>두껍습니다</u>.

(3) 기린은 코끼리보다 키가 더 <u>높습니다</u>.

2 길이가 같은 막대 4개를 땅 속에 꽂았다가 꺼냈습니다. 땅 속에 깊게 꽂힌 막대 순서대로 기호를 쓰세요.

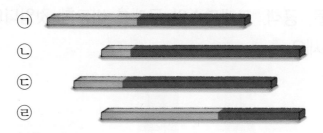

3 생쥐가 빨간색 선을 따라 치즈를 먹으러 갑니다. 생쥐가 움직인 거리가 |보기|와 같은 것의 기호를 쓰세요.

|보기|

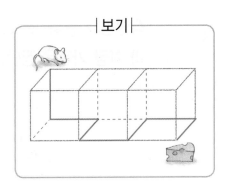

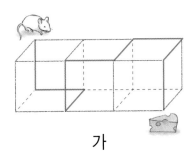

가

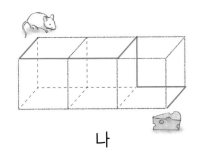

나

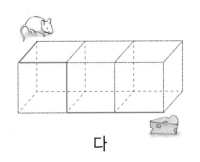

다

4 |보기|와 같이 가로, 세로로 점을 이어 모양을 만들려고 합니다. 가장 작은 네모 칸의 넓이가 1일 때, 넓이가 8인 모양을 두 가지 방법으로 만드세요.

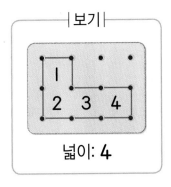

넓이: 4

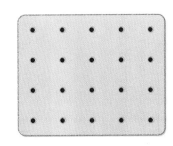

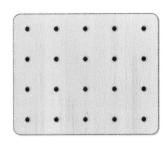

정답과 풀이 39쪽 ▶

5 장난감 자동차, 로봇, 기차, 곰인형의 무게를 비교한 것입니다. 가장 무거운 장난감과 가장 가벼운 장난감을 차례로 쓰세요.

6 가연, 지웅, 연우가 각각 들이가 같은 우유 1병을 마시고 남은 우유를 컵에 따랐습니다. 우유를 가장 많이 마신 사람은 누구입니까?

규칙

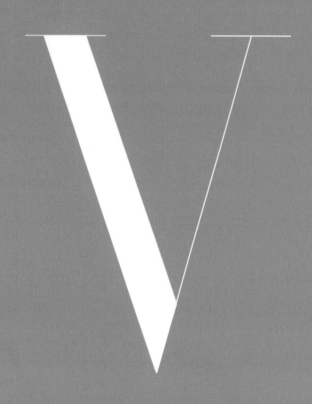

9-1. 마디가 있는 패턴
└─ 반복되는 부분

1 주어진 마디를 반복하여 지나 미로를 통과하세요.

(1)

(2)

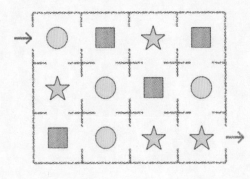

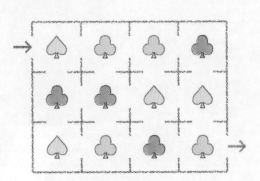

2 구슬 1개만 빼면 패턴이 될 때, 빼야 할 구슬 1개를 찾아 ✕표 하세요.

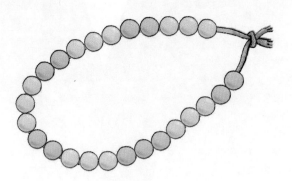

TIP 먼저 구슬을 꿴 패턴의 마디를 찾아보세요.

반복되는 마디는 어떻게 찾을까요?

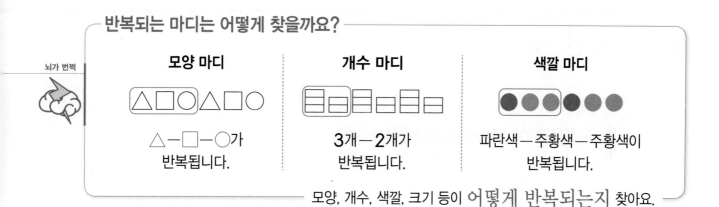

모양 마디	개수 마디	색깔 마디
△ — □ — ○가 반복됩니다.	3개 — 2개가 반복됩니다.	파란색 — 주황색 — 주황색이 반복됩니다.

모양, 개수, 색깔, 크기 등이 어떻게 반복되는지 찾아요.

최상위 사고력

지웅이와 혜영이가 다음과 같은 순서에 따라 가위바위보를 합니다. 7번째 가위바위보에서 이기는 사람의 이름을 쓰세요.

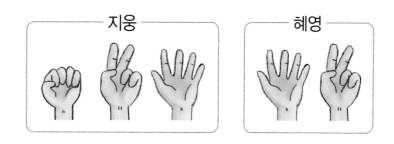

정답과 풀이 41쪽 ▶

9-2. 회전 패턴

1 규칙을 찾아 5번째 모양을 완성하세요.

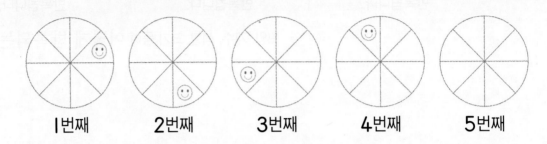

| 1번째 | 2번째 | 3번째 | 4번째 | 5번째 |

TIP ☺이 어느 방향으로 몇 칸씩 이동하는지 살펴보세요.

2 다음과 같은 규칙으로 전구가 켜진다고 할 때, 6번째에 켜지는 전구를 찾아 ○표 하세요.

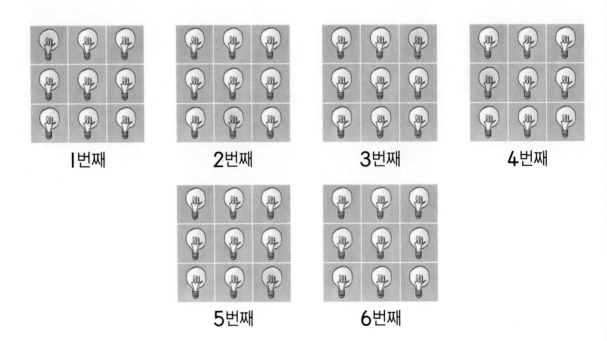

회전 패턴의 규칙은 어떻게 찾을까요?

시계 방향으로 2칸씩
이동합니다.

모양이 일정하게 회전하는 방향과 칸수를 살펴요.

최상위 사고력

규칙을 찾아 6번째 모양과 7번째 모양을 완성하세요.

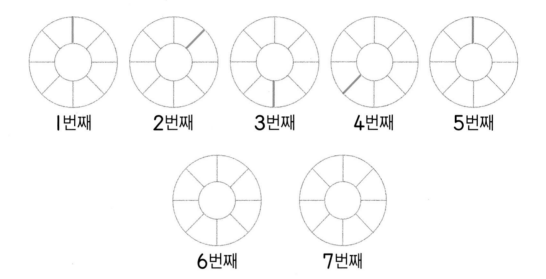

정답과 풀이 42쪽 ▶

9-3. 개수가 늘어나는 패턴

1 도미노를 일정한 규칙에 따라 놓을 때, 빈칸에 알맞은 도미노를 찾아 기호를 쓰세요.

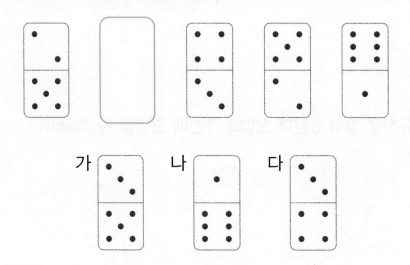

2 바둑돌을 일정한 규칙에 따라 놓을 때, 4번째 모양의 검은색 바둑돌과 흰색 바둑돌의 개수를 차례로 구하세요.

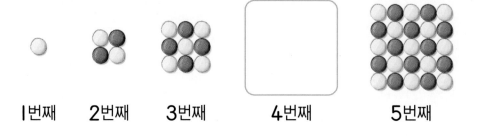

|번째   2번째   3번째   4번째   5번째

뇌가 번쩍

개수가 늘어나는 패턴의 규칙은 어떻게 찾을까요?

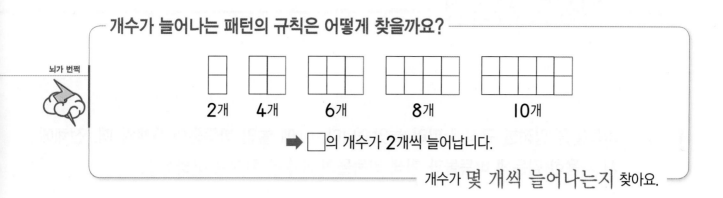

2개   4개   6개   8개   10개

➡ ☐의 개수가 2개씩 늘어납니다.

개수가 몇 개씩 늘어나는지 찾아요.

**최상위
사고력**

다음과 같이 색종이를 반씩 접은 다음 펼쳐 접은 선을 따라 모두 자르려고 합니다. 색종이를 3번 접고 잘랐을 때 찾을 수 있는 조각의 개수를 구하세요.

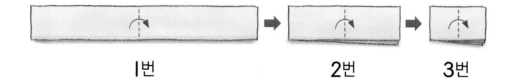

1번   2번   3번

정답과 풀이 43쪽 ▶

1 바둑돌을 일정한 규칙에 따라 놓았습니다. ㉠에 놓인 바둑돌이 5개일 때, 전체에서 사용한 검은색 바둑돌과 흰색 바둑돌의 개수를 차례로 구하세요.

2 규칙을 찾아 5번째 모양과 6번째 모양을 완성하세요.

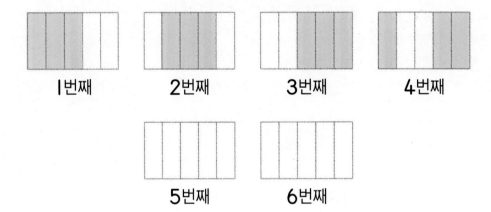

1번째　　2번째　　3번째　　4번째

5번째　　6번째

3 화살표가 가리키는 숫자의 규칙을 찾아 10은 몇 번째에 나오는지 구하세요.

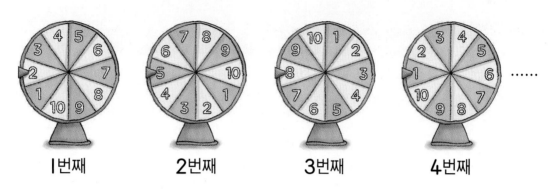

1번째   2번째   3번째   4번째

4 쌓기나무를 일정한 규칙에 따라 쌓을 때, 5번째 모양에 놓인 쌓기나무의 개수를 구하세요.

1번째   2번째   3번째   4번째

정답과 풀이 44쪽 ▶

10-1. 모양이 포함된 패턴

1 규칙에 따라 모양을 그려 나갈 때, ▢ 안에 알맞은 모양을 그리세요.

(1)

(2)

TIP 모양, 크기, 색깔의 규칙을 살펴보세요.

땀이 뻘뻘

2 규칙에 따라 모양을 쌓을 때, 빈칸에 알맞은 모양을 찾아 기호를 쓰세요.

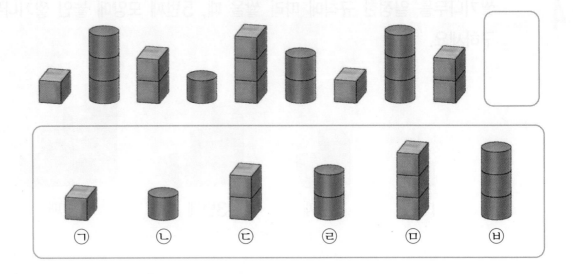

ㄱ   ㄴ   ㄷ   ㄹ   ㅁ   ㅂ

뇌가 번쩍

모양이 포함된 이중 패턴의 규칙은 어떻게 찾을까요?

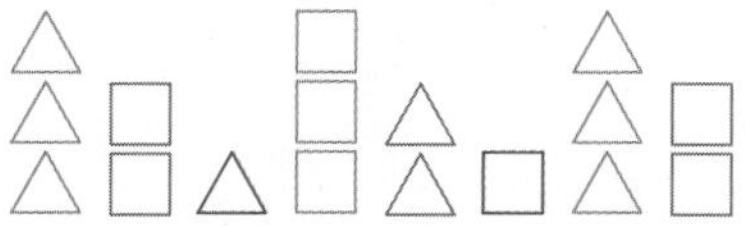

△ □ △ □ △
△ □ △ □ △ □ △ □
△ □ △ □ △ □ △ □

➡

- 모양 마디: △ ─ □
- 색깔 마디: 주황색 ─ 회색 ─ 파란색
- 개수 마디: 3개 ─ 2개 ─ 1개

먼저 모양 마디를 찾은 다음 개수, 색깔, 크기 등의 마디를 찾아요.

최상위 사고력

다음을 보고 빈칸에 알맞은 그림을 그려 패턴을 완성하세요.

> - 모양 마디는 '○─△─□'입니다.
> - 크기 마디는 '작다─크다'입니다.
> - 색깔 마디는 '빨간색─빨간색─파란색─파란색'입니다.

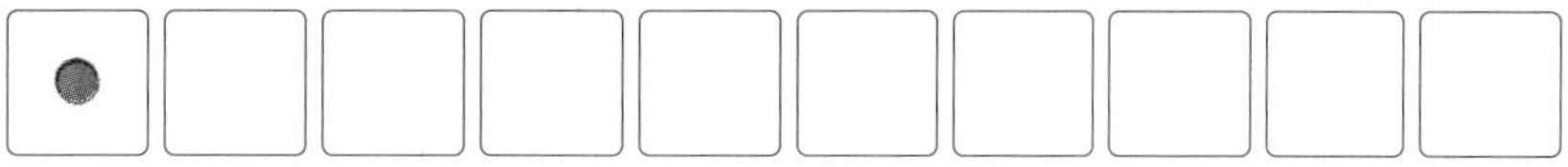

● | | | | | | | | |

10-2. 회전이 포함된 패턴

1 규칙을 찾아 5번째 모양을 완성하세요.

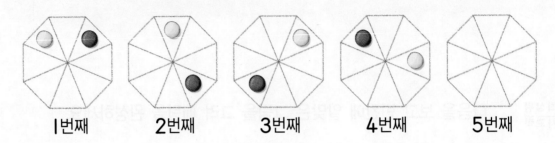

| 1번째 | 2번째 | 3번째 | 4번째 | 5번째 |

2 규칙을 찾아 6번째 모양을 완성하세요.

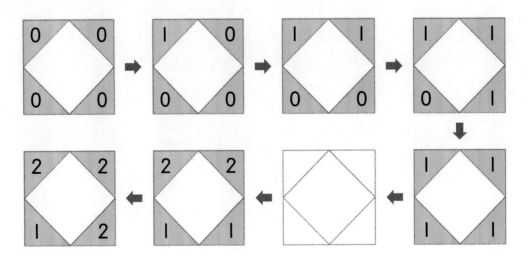

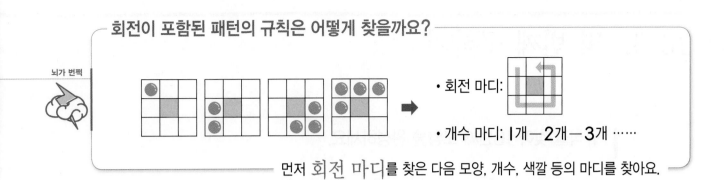

회전이 포함된 패턴의 규칙은 어떻게 찾을까요?

• 회전 마디:

• 개수 마디: 1개 — 2개 — 3개 ……

먼저 회전 마디를 찾은 다음 모양, 개수, 색깔 등의 마디를 찾아요.

최상위 사고력 규칙을 찾아 5번째 모양을 완성하세요.

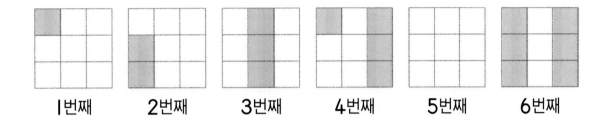

| 1번째 | 2번째 | 3번째 | 4번째 | 5번째 | 6번째 |

정답과 풀이 46쪽 ▶

10-3. 몇 번째 구하기

1 규칙을 찾아 10번째 모양을 완성하세요.

(1)
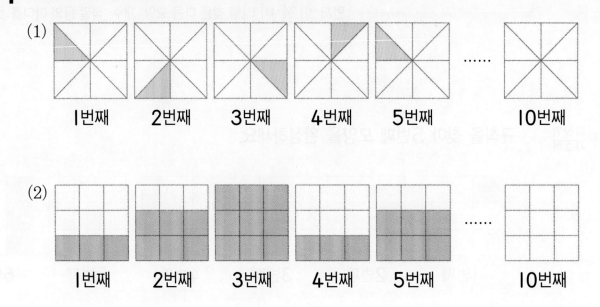

(2)

2 규칙을 찾아 13번째 그림의 과자의 개수와 그릇 색깔을 차례로 구하세요.

1번째   2번째   3번째   4번째

5번째   6번째

몇 번째 모양을 어떻게 알 수 있을까요?

○○□ ○□ 10번째

패턴 마디를 찾기

- 모양 마디: ○─□
- 개수 마디: 1개─2개─3개

➡

같은 모양이 나오는 순서를 찾기

- 모양 마디: 2번째, 4번째, 6번째, 8번째, 10번째
- 개수 마디: 1번째, 4번째, 7번째, 10번째

같은 모양이 나오는 순서를 구해요.

최상위 사고력 규칙을 찾아 18번째 화살통의 색깔과 화살의 개수를 차례로 구하세요.

정답과 풀이 47쪽 ▶

1 규칙을 찾아 15번째에 나오는 글자, 색깔, 크기를 차례로 구하세요.

디 딤 돌 디 딤 돌 디 딤 돌 ……

2 규칙을 찾아 6번째 그림에서 빨간색 구슬과 파란색 구슬이 놓일 칸의 수를 차례로 구하세요.

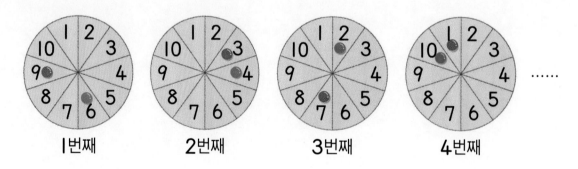

1번째   2번째   3번째   4번째 ……

3 규칙을 찾아 12번째 모양을 완성하세요.

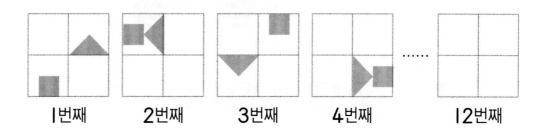

1번째   2번째   3번째   4번째 12번째

4 시곗바늘이 일정한 규칙으로 움직입니다. 10번째 시계에 알맞은 시각을 나타내세요.

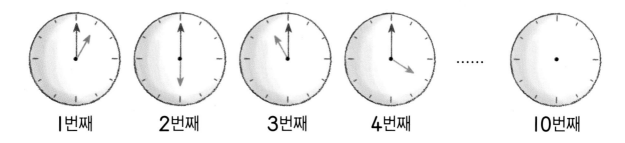

1번째   2번째   3번째   4번째 10번째

1 규칙을 찾아 ☐ 안에 알맞은 과자의 기호를 써넣으세요.

(1)  ☐

(2)  ☐

2 규칙을 찾아 5번째 모양을 완성하세요.

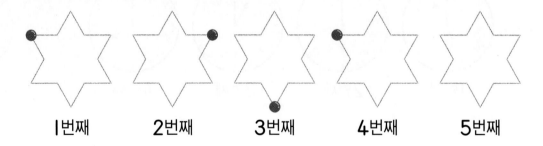

| 1번째 | 2번째 | 3번째 | 4번째 | 5번째 |

3 규칙을 찾아 5번째 모양을 완성하세요.

| 1번째 | 2번째 | 3번째 | 4번째 | 5번째 |

4 규칙을 찾아 ☐ 안에 알맞은 모양을 그리세요.

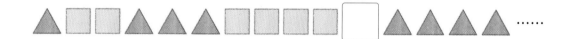

정답과 풀이 49쪽 ▶

5 8번째 모양에서 찾을 수 있는 ◯의 개수를 구하세요.

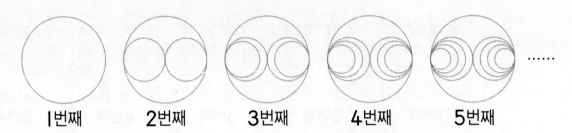

6 규칙을 찾아 15번째에 알맞은 모양, 색깔, 크기를 차례로 구하세요.

최상위
연산
수학

1~6학년(학기용)

단순 계산이 아닌
수학 원리를
알아가는
수학 공부의 첫 걸음,
같아 보이지만
완전히 다른 연산!

디딤돌

초등 첫 수학은 디딤돌!

아이의 학습 능력과 학습 목표에 따라
맞춤 선택을 할 수 있도록
다양한 교재를 제공합니다.

문제해결력 강화 문제유형, 응용

개념 다지기 원리, 기본

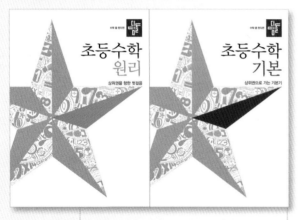

개념 + 문제해결력 강화를 동시에

기본+유형, 기본+응용

정답과 풀이　Pre A

상위권의 기준

최상위
사고력

Pre A

수학 좀 한다면

디딤돌

최상위 사고력 **1** **20까지의 수**

1-1. 수 읽기

1 속담에서 수를 잘못 읽은 부분을 찾아 바르게 고치세요.

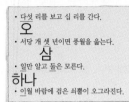

• 다섯 리를 보고 십 리를 간다.
오
• 서당 개 셋 년이면 풍월을 읊는다.
삼
• 일만 알고 둘은 모른다.
하나
• 이월 바람에 검은 쇠뿔이 오그라진다.

옛날부터 전해지는 조상들의 지혜가 담긴 표현을 속담이라고 해.

2 10을 읽는 방법이 다른 것을 찾아 기호를 쓰세요. ㉢

㉠ 지우의 나이는 10살입니다.
㉡ 동물원에 토끼가 10마리 있습니다.
㉢ 가희는 동화책을 10일 동안 읽었습니다.
㉣ 유미는 여름 방학 동안 수영장에 10번 갔습니다.

수를 어떻게 읽을까요?

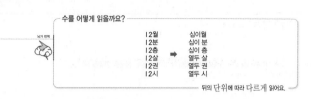

12월		십이월
12분		십이 분
12층	➡	십이 층
12살		열두 살
12권		열두 권
12시		열두 시

뒤의 단위에 따라 다르게 읽어요.

최상위 사고력 지후의 일기에서 밑줄 친 수를 잘못 읽은 것은 모두 몇 번인지 구하세요. **4**번

날짜 7(칠)월 11(열하나)일 날씨 ☀ 맑음

집에 친구들이 놀러왔다. 1(한)시에 2(두)명이 오고, 2(이)시에 1(한)명이 더 왔다. 우리 4(네)명은 보드 게임을 하고, 우리 4(네)잔과 빵 4(사)개를 먹었다. 친구들은 5(오)시에 집에 갔다. 오늘은 정말 즐거운 날이다.

저자 톡! 수는 일, 이, 삼······과 같이 한자로 읽는 방법과 하나, 둘, 셋······과 같이 우리말로 읽는 두 가지 방법이 있습니다. 여러 가지 상황을 제시하여 학생들이 두 가지 방법을 명확하게 구분하여 읽을 수 있도록 합니다.

1
수 뒤의 단위에 따라 알맞게 읽습니다.

> **보충 개념**
> • 오 리를 보고 십 리를 간다.
> : 장사하는 사람은 한 푼도 못 되는 적은 돈이라도 벌 수만 있다면 고생을 무릅쓴다는 말
> • 서당 개 삼 년이면 풍월을 읊는다.
> : 서당에서 삼 년 동안 살면서 매일 글 읽는 소리를 듣다 보면 개조차도 글 읽는 소리를 낸다는 말
> • 하나만 알고 둘은 모른다.
> : 폭넓게 생각하지 못한다는 말
> • 이월 바람에 검은 쇠뿔이 오그라진다.
> : 이월에 부는 바람이 센 것을 비유하는 말

2
㉠ 지우의 나이는 열 살입니다.
㉡ 동물원에 토끼가 열 마리 있습니다.
㉢ 가희는 동화책을 십일 동안 읽었습니다.
㉣ 유미는 여름 방학 동안 수영장을 열 번 갔습니다.
따라서 10을 읽는 방법이 다른 것은 ㉢입니다.

최상위 사고력

11(열하나)일 ➡ 십일일
2(이)시 ➡ 두 시
4(사)개 ➡ 네 개
5(오)시 ➡ 다섯 시
따라서 밑줄 친 수를 잘못 읽은 것은 모두 4번입니다.

1-2. 수의 순서

1 규칙에 따라 I부터 5까지의 수를 순서대로 선으로 연결해 보세요.

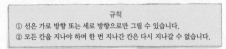

수가 배열된 규칙을 어떻게 찾을까요?

> 규칙
> ① 선은 가로 방향 또는 세로 방향으로만 그릴 수 있습니다.
> ② 모든 칸을 지나야 하며 한 번 지나간 칸은 다시 지나갈 수 없습니다.

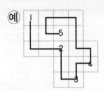

작은 수부터 차례로 선을 이어 보세요.

2 I부터 20까지의 수를 일정한 규칙에 따라 배열하였습니다. 빈칸에 알맞은 수를 써넣으세요.

최상위 사고력 I부터 19까지의 수를 일정한 규칙에 따라 배열하였습니다. 빈칸에 알맞은 수를 써넣으세요.

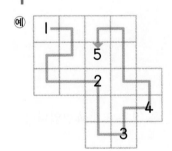

저자 톡! I부터 20까지의 수의 순서를 통하여 I 큰 수와 I 작은 수를 이해합니다. 더 나아가 이 과정을 통해 두 수의 크기 비교하기, 수 퍼즐 등을 해결하기 위한 밑바탕을 다질 수 있습니다.

1

최상위 사고력

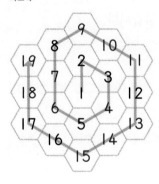

2

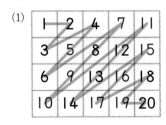

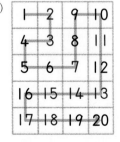

1-3. 디지털 수

1 주어진 디지털 수에서 ⬭ Ⅰ칸을 색칠하거나, 지우거나, 옮겨서 다른 수를 만드세요.

| 색칠하기 | 지우기 | 옮기기 |

 또는 🡒

[TIP] 디지털 수는 0. 1. 2. 3. 4. 5. 6. 7. 8. 9와 같이 나타내요.

 2 주어진 디지털 수에서 ⬭ Ⅰ칸을 옮겨서 더 작은 수와 더 큰 수를 만드세요.

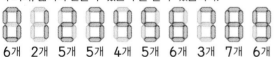

| 더 작은 수 | | 더 큰 수 |

디지털 수를 어떻게 다른 수로 바꿀 수 있을까요?

🡒 Ⅰ칸 색칠하거나 지우기 🡒 Ⅰ칸 옮기기

칸을 색칠하거나, 지우거나, 옮겨서 바꿔요.

최상위 사고력 ⬭ 8칸을 색칠해서 20보다 작은 두 자리 수 3개를 만드세요.

저자 톡! 경기장의 전광판, 은행의 번호판, 전자시계 등 실생활에서 쉽게 찾아볼 수 있는 디지털 수를 이용하여 Ⅰ부터 20까지의 수에 대하여 새로운 관점으로 알아보는 단원입니다. 이번 단원을 통하여 집중력과 사고력을 기를 수 있습니다.

1

🡒에 ⬭ Ⅰ칸을 색칠하여 만들 수 있는 수는 🡒뿐이고, ⬭ Ⅰ칸을 지워서 만들 수 있는 수는 🡒뿐이며, ⬭ Ⅰ칸을 옮겨서 만들 수 있는 수는 🡒 또는 🡒입니다.

보충 개념

디지털 수를 만드는 데 필요한 ⬭ 의 칸수를 알면 색칠하거나, 지우거나, 옮겨서 만들 수 있는 수를 알 수 있습니다.

| 6개 | 2개 | 5개 | 5개 | 4개 | 5개 | 6개 | 3개 | 7개 | 6개 |

2

디지털 수 3을 만드는 데 필요한 ⬭ 의 칸수가 같은 수는 2와 5입니다.

최상위 사고력

20보다 작은 두 자리 수의 십의 자리 숫자는 항상 Ⅰ입니다. Ⅰ은 ⬭ 2칸이 필요하므로 일의 자리 숫자는 ⬭ 6칸이 필요한 0, 6, 9입니다.

따라서 만들 수 있는 수는 10, 16, 19입니다.

최상위 사고력

1 밑줄 친 수를 읽으려고 합니다. ☐ 안에 알맞은 말을 써넣으세요.

> ① 우리 가족은 모두 <u>3</u>명입니다.
> ② 치과는 공원 앞 빌딩 <u>5</u>층에 있습니다.
> ③ 아빠와 동생은 <u>1</u>시에 도서관에 갔습니다.
> ④ 우리 이모는 <u>20</u>살입니다.

① 세 명   ② 오 층   ③ 한 시   ④ 스무 살

2 |보기|와 같이 수가 적힌 구슬을 수의 순서대로 배열하려면 구슬을 적어도 몇 번 움직여야 하는지 구하세요.   **3번**

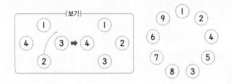

3 1부터 20까지의 수를 일정한 규칙에 따라 배열하였습니다. 빈칸에 알맞은 수를 써넣으세요.

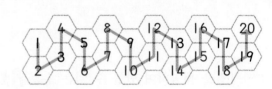

4 ○ 1칸을 더 색칠해서 한 자리 수를 만들려고 합니다. ☐ 안에 알맞은 수를 써넣으세요.

(1) **7**   (2) **6**   (3) **5**

1

보충 개념
나이를 나타내는 단위에는 '살'과 '세'가 있습니다. '살'로 말할 때에는 하나, 둘, 셋……으로 읽고, '세'로 말할 때에는 일, 이, 삼……으로 읽습니다.

2

예

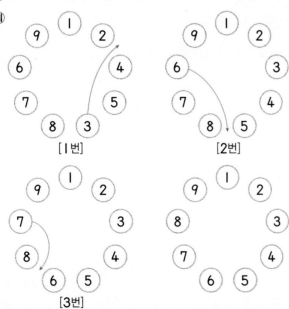

[1번]   [2번]

[3번]

3

4

1부터 9까지의 수를 나타내면 다음과 같습니다.

○ 1칸을 더 색칠해서 만들 수 있는 한 자리 수를 찾습니다.

최상위 사고력 **2 수와 문제해결**

2-1. 조건과 수

1 주어진 수 카드를 보고 물음에 답하세요.

(1) 5보다 크고 15보다 작은 수를 모두 찾아 쓰세요. **6, 8, 9, 11, 12, 14**

(2) 두 자리 수를 모두 찾아 쓰세요. **11, 12, 14, 17**

(3) 10보다 작은 홀수를 모두 찾아 쓰세요. **5, 9**

💡 홀수는 1부터 2씩 뛰어 센 수, 짝수는 2부터 2씩 뛰어 센 수예요.

2 자물쇠의 비밀번호를 찾아 쓰세요. **12**

• 13보다 작은 수입니다.
• 9보다 큰 수입니다.
• 짝수입니다.

조건을 만족하는 수는 어떻게 찾을까요?

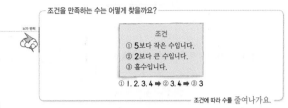

조건
① 5보다 작은 수입니다.
② 2보다 큰 수입니다.
③ 홀수입니다.

① 1, 2, 3, 4 ➡ ② 3, 4 ➡ ③ 3

조건에 따라 수를 줄여나가요.

최상위 사고력 조건을 만족하는 수는 모두 몇 개인지 구하세요. **3개**

조건
• 1부터 6까지의 수가 적혀 있는 주사위 2개를 던져서 만들 수 있는 수입니다.
• 10보다 크고 20보다 작은 수입니다.
• 짝수입니다.

TIP 먼저 10보다 크고 20보다 작은 수를 구하세요.

저자 톡! 여러 가지 조건이 주어졌을 때 조건을 만족하는 수를 찾는 단원입니다. 어떤 방법으로 조건을 만족하는 수를 찾는 것이 효율적인지 생각하며 문제를 풀어 봅니다.

1

주어진 수를 작은 수부터 차례로 놓고 조건을 만족하는 수를 찾습니다.

| 2 | 5 | 6 | 8 | 9 | 11 | 12 | 14 | 17 |

(1) 5보다 크고 15보다 작은 수는 6, 8, 9, 11, 12, 14입니다.

(2) 두 자리 수는 11, 12, 14, 17입니다.

(3) 10보다 작은 홀수는 5, 9입니다.

2

① 9보다 크고 13보다 작은 수
   ➡ 10, 11, 12
② 10, 11, 12 중에서 짝수
   ➡ 12

따라서 자물쇠의 비밀번호는 12입니다.

최상위 사고력

① 10보다 크고 20보다 작은 수는 십의 자리 숫자가 1인 두 자리 수입니다.
   ➡ 11, 12, 13, 14, 15, 16, 17, 18, 19
② 주사위를 던져 만들 수 있는 짝수이므로 일의 자리에 나올 수 있는 수는 2, 4, 6입니다.
   ➡ 12, 14, 16

따라서 조건을 만족하는 수는 12, 14, 16으로 모두 3개입니다.

주의
주사위를 던져 나올 수 있는 수는 1, 2, 3, 4, 5, 6입니다.

2-2. 수 퍼즐

1 Ⅰ, 2, 3을 각각 두 번씩 써넣어 수 퍼즐을 완성하세요.

- Ⅰ과 Ⅰ 사이에는 숫자가 **Ⅰ**개 있습니다.
- 2와 2 사이에는 숫자가 **2**개 있습니다.
- 3과 3 사이에는 숫자가 **3**개 있습니다.

3	1	2	1	³	2

2 Ⅰ, 2, 3, 4를 한 번씩 써넣어 수 퍼즐을 완성하려고 합니다. 수 퍼즐을 완성할 수 있는 방법은 모두 몇 가지인지 구하세요. **2가지**

- Ⅰ과 4는 한 칸 떨어져 있습니다.
- Ⅰ과 2는 서로 이웃하지 않습니다.

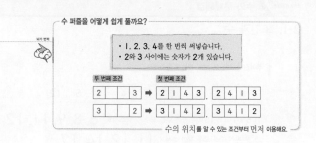

수 퍼즐을 어떻게 쉽게 풀까요?

- Ⅰ, 2, 3, 4를 한 번씩 써넣습니다.
- 2와 3 사이에는 숫자가 2개 있습니다.

최상위 사고력 연속한 수가 서로 이웃하지 않도록 Ⅰ, 2, 3, 4를 한 번씩 써넣어 두 가지 방법으로 퍼즐을 완성하세요.

💡 연속한 수는 Ⅰ, 2, 3 또는 2, 3, 4와 같이 Ⅰ씩 커지는 수예요.

저자 톡! 여러 가지 위치 조건에 따라 수를 배열하는 퍼즐입니다. 문제의 조건을 파악하여 수행하는 과정에서 문제 해결력을 기를 수 있습니다.

1

① 3에서 3칸 떨어진 칸 ㉠에 3을 써넣습니다.

| ㉠ | ㉡ | ㉢ | ㉣ | 3 | ㉤ | ➡ | 3 | ㉡ | ㉢ | ㉣ | 3 | ㉤ |

② ㉡에 2를 써넣을 경우 또 다른 2를 써넣을 칸이 없으므로 ㉡과 ㉡에서 Ⅰ칸 떨어진 ㉣에 모두 Ⅰ을 써넣습니다.

➡ | 3 | 1 | ㉢ | 1 | 3 | ㉤ |

③ 남은 칸 ㉢, ㉤에 모두 2를 써넣습니다.

➡ | 3 | 1 | 2 | 1 | 3 | 2 |

2

Ⅰ과 2는 서로 이웃하지 않으므로 Ⅰ과 4 사이에는 3을 써넣습니다.

| 1 | 3 | 4 | 2 |, | 2 | 4 | 3 | 1 | ➡ 2가지

최상위 사고력

연속한 수가 2개인 2와 3을 퍼즐에서 이웃한 칸이 Ⅰ칸인 ㉠과 ㉣에 써넣습니다.

- ㉠에 2를 써넣은 경우
  ㉡에 써넣을 수 있는 수는 4,
  ㉢에 써넣을 수 있는 수는 Ⅰ,
  ㉣에 써넣을 수 있는 수는 3입니다.
- ㉠에 3을 써넣은 경우
  ㉡에 써넣을 수 있는 수는 Ⅰ,
  ㉢에 써넣을 수 있는 수는 4,
  ㉣에 써넣을 수 있는 수는 2입니다.

2-3. 노노그램

1 노노그램은 위와 옆에 적힌 수만큼 각 줄의 칸을 연속해서 색칠하여 완성하는 퍼즐입니다. 잘못 색칠된 칸을 찾아 ✕표 하세요.

(1)   (2)

노노그램을 어떻게 완성할까요?

한 줄을 모두 색칠할 수 있는 줄을 찾아 색칠합니다. → 색칠할 수 없는 칸에 ✕표 합니다. → 나머지 칸을 색칠하거나 ✕표 하여 완성합니다.

2 위와 옆에 적힌 수만큼 각 줄의 칸을 연속해서 색칠하여 노노그램을 완성하세요.

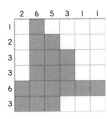

최상위 사고력 다음은 위와 옆에 적힌 수만큼 각 줄의 점을 지나도록 선을 이어 완성하는 퍼즐입니다. •부터 시작하여 •까지 선을 이어 퍼즐을 완성하세요. (단, 선은 가로, 세로 방향으로만 이을 수 있습니다.)

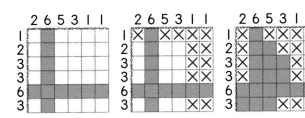

저자 톡! 노노그램에서 칸을 색칠하는 것만큼이나 중요한 것은 색칠하지 않아야 하는 칸을 찾는 것입니다. 어떤 칸을 색칠하면 안 되는지 판단하는 과정을 통하여 논리적 판단 능력을 기를 수 있습니다.

2

① 6이 적힌 가로줄과 세로줄을 먼저 색칠합니다.

② 색칠할 수 없는 칸에 ✕표 합니다.

③ 나머지 칸을 색칠하거나 ✕표 하여 완성합니다.

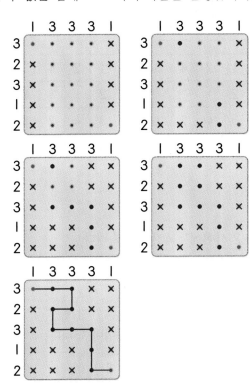

주의
노노그램은 적힌 수만큼 연속해서 색칠해야 합니다.

최상위 사고력

지날 수 없는 점에 ✕표 하며 퍼즐을 완성합니다.

최상위 사고력

1 1, 2, 3, 4가 가로줄과 세로줄에 각각 한 번씩만 있고, 빨간색 선 안에도 한 번씩만 있도록 빈칸에 알맞은 수를 써넣으세요.

1	2	4	3
2	1	3	4
3	4	2	1
4	3	1	2

2 1, 2, 3, 4를 한 번씩 써넣어 조건을 만족하는 수 퍼즐을 완성하려고 합니다. 1과 4 사이가 가장 가까울 때 1과 4 사이의 칸은 몇 칸인지 구하세요. **1칸**

- 1과 2 사이에는 4칸이 있습니다.
- 2와 3 사이에는 2칸이 있습니다.
- 3과 4 사이에는 3칸이 있습니다.

⊙ 모든 칸에 수를 써넣어야 하는 것은 아니에요.

3 수 카드를 한 번만 사용하여 만들 수 있는 수를 모두 구하세요. **16, 18**

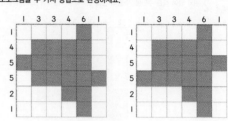

8 3 1 6 5

- 수 카드 2장을 사용합니다.
- 20보다 작은 수입니다.
- 짝수입니다.

4 노노그램을 두 가지 방법으로 완성하세요.

1

1	2	4	3
3	4	2	1

1	2	4	3
2	1		
3	4	2	1

1	2	4	3
2	1		4
3	4	2	
4	3		2

1	2	4	3
2	1	3	4
3	4	2	1
4	3	1	2

2

① 1과 2 사이에는 4칸이 있습니다.

➡ | 1 | | | | | 2 |

② 2와 3 사이에는 2칸이 있고, 1과 4가 가까이 있으려면 3이 1과 2 사이에 있어야 합니다.

➡ | 1 | | 3 | | | 2 |

③ 3과 4 사이에는 3칸이 있습니다.

➡ | 4 | | 1 | | 3 | | 2 |

따라서 1과 4 사이가 가장 가까울 때 1과 4 사이는 1칸입니다.

3

- 수 카드 2장을 사용합니다.
  ➡ 두 자리 수
- 20보다 작은 수입니다.
  ➡ 13, 15, 16, 18
- 짝수입니다.
  ➡ 16, 18

따라서 만들 수 있는 수는 16, 18입니다.

4

① 6이 적힌 세로줄을 먼저 색칠합니다.
② 색칠할 수 없는 칸에 ×표 합니다.
③ 나머지 칸을 색칠하거나 ×표 하여 완성합니다.

Review I 수

1 윤호와 선우가 놀이터에 도착한 시각을 바르게 읽어보려고 합니다. □ 안에 알맞은 말을 써넣으세요.

윤호 열한 시 십삼 분
선우 열두 시 십칠 분

2 |보기|와 같이 색칠된 칸에서 출발하여 I 큰 수나 I 작은 수가 있는 칸으로 이동하여 완성하는 퍼즐입니다. 마지막에 도착하는 수를 구하세요. (단, 가로, 세로 방향으로만 이동할 수 있습니다.) 3

|보기|

2	6	I
3	4	I
3	3	2

4	4	5	I	3
6	7	6	2	4
5	4	4	5	3
I	3	2	I	2
2	5	5	I	2

3 위와 옆에 적힌 수만큼 각 줄의 칸을 연속해서 색칠하여 노노그램을 완성하세요.

4 ⬭ 7칸을 색칠해서 20보다 작은 수를 만들려고 합니다. 가장 큰 수와 가장 작은 수를 만드세요.

가장 큰 수   가장 작은 수

2

수의 순서를 생각하여 어떤 수의 I 큰 수나 I 작은 수가 있는 칸으로 이동합니다.

4	4	5	I	3
6	7	6	2	4
5	4	4	5	3
I	3	2	I	2
2	5	5	I	2

따라서 마지막에 도착하는 수는 3입니다.

3

① 4가 적힌 세로줄을 먼저 색칠합니다.
② 색칠할 수 없는 칸에 ×표 합니다.
③ 나머지 칸을 색칠하거나 ×표 하여 완성합니다.

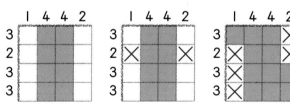

4

• 가장 큰 수

20보다 작은 수 중에서 가장 큰 수이므로 십의 자리 숫자는 I입니다. I은 ⬭ 2칸이 필요하므로 일의 자리 숫자는 ⬭ 5칸으로 만들 수 있는 숫자 중에서 가장 큰 5입니다.

➡ I5

• 가장 작은 수

20보다 작은 수 중에서 가장 작은 수이므로 ⬭ 7칸으로 한 자리 수를 만듭니다.

➡ 8

5   민서의 생일은 5월 며칠인지 구하세요. **18일**

나는 5월에 20보다
작은 수 중에서 홀수가
아니고, 17보다 큰 수인
날짜에 태어났어.

민서

6   2, 7, 11, 13, 19를 한 번씩 써넣어 수 퍼즐을 완성하세요.

• 오른쪽(→) 방향으로 수가 커집니다.
• 위쪽(↑) 방향으로 수가 커집니다.

11	13	19
2	7	

5

① 17보다 크고 20보다 작은 수
  ➡ 18, 19
② 홀수가 아닌 수
   ➡ 짝수
   ➡ 18

따라서 민서의 생일은 5월 18일입니다.

6

2<7<11<13<19

7은 주어진 수 중에서 두 번째로 작은 수이므로
㉣=2입니다.
남은 수 11, 13, 19는 오른쪽(→) 방향으로 수가
커지므로 ㉠=11, ㉡=13, ㉢=19입니다.

최상위 사고력 3 방향

3-1. 오른쪽과 왼쪽

1 그림을 보고 알맞은 손에 깃발을 그리세요.

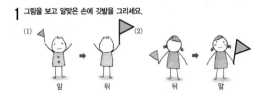

오른쪽과 왼쪽은 정해져 있나요?

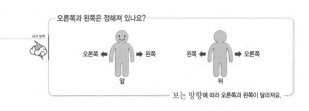

보는 방향에 따라 오른쪽과 왼쪽이 달라져요.

2 다음을 읽고 연우, 가희, 지오의 위치를 찾아 이름을 쓰세요.

- 연우의 오른쪽에 민우가 있습니다.
- 가희의 왼쪽에 지오가 있습니다.
- 지오의 오른쪽에 가희가 있습니다.

ㄴ 가희

ㄱ 연우   ㄷ 지오

민우

최상위 사고력 은수는 명령 기호에 따라 집에 갔습니다. 은수가 집에 가는 데 알맞은 명령 기호를 차례로 쓰세요.

명령 기호
↑ 한 칸 움직이기
↻ 왼쪽으로 돌기
↺ 오른쪽으로 돌기

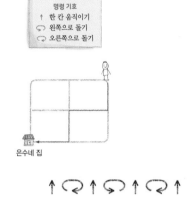

은수네 집

↑ ↻ ↑ ↺ ↑ ↺ ↑

저자 톡! 오른쪽, 왼쪽에 대한 용어와 방향의 의미 알기는 공간 개념과 연관됩니다. 학생 자신을 중심으로 한 방향과 상대를 중심으로 한 방향이 다르기 때문에 이 시기의 학생에게는 자신을 중심으로 한 방향에 대한 경험이 잘 선행되어야 합니다.

1

보는 방향에 따라 오른쪽과 왼쪽이 달라진다는 것을 알고 찾아봅니다.

> **지도 가이드**
> 자신의 신체에서 오른쪽과 왼쪽을 찾아봄으로써 자신의 관점에서 방향성을 인식하도록 지도합니다.

2

- 연우의 오른쪽에 민우가 있습니다.
  ➡ 민우의 왼쪽에 연우가 있습니다.
  ➡ 연우는 ㄱ에 있습니다.
- 가희의 왼쪽에 지오가 있습니다.
  ➡ 가희가 ㄷ에 있으면 가희의 왼쪽에 민우가 있으므로 가희는 ㄴ에 있습니다.
- 지오의 오른쪽에 가희가 있습니다.
  ➡ 가희의 왼쪽에 지오가 있습니다.
  ➡ 지오는 ㄷ에 있습니다.

최상위 사고력

은수가 집에 가는 데 알맞은 명령 기호를 차례로 쓰면 다음과 같습니다.

> **주의**
> 방향을 바꾸고 그 방향으로 움직이는 것에 주의합니다.

3-2. 거울에 비친 모습

1 왼쪽 우유갑을 거울에 비추었을 때 나타나는 모습을 찾아 ○표 하세요.

📍 글자 '우유'의 방향도 살펴보세요.

2 |보기|와 같이 디지털 수로 만든 수를 거울에 비추었을 때 나타나는 수를 ☐ 안에 알맞게 써넣으세요.

📍 디지털 수는 0.1.2.3.4.5.6.7.8.9와 같이 나타내요.

거울에 비친 모양은 무엇이 바뀌었을까요?

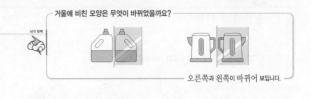

오른쪽과 왼쪽이 바뀌어 보입니다.

최상위 사고력 글자 카드를 거울에 비추었을 때 거울에 비친 글자가 처음과 같은 글자 카드를 모두 찾아 ○표 하세요.

저자 톡! 물체를 옆에서 거울에 비추었을 때 물체의 오른쪽과 왼쪽이 바뀌는 것을 알아볼 수 있습니다. 이해하기 어려울 수 있으니 직접 거울에 비추어가며 거울에 비친 모습을 학습하도록 합니다.

1

우유갑의 모양은 왼쪽, 오른쪽이 같으므로 글자 '우유'를 뒤집은 모양을 찾습니다.

우유갑에서 '우유'가 오른쪽에 있으므로 거울에 비추었을 때 '우유'는 왼쪽에 있습니다. '우유'는 옆으로 뒤집었을 때 글자 모양이 바뀌지는 않으나 순서가 바뀌므로 '유우'로 보입니다.

해결 전략
우유갑에 적힌 글자를 이용하여 알맞은 모습을 찾습니다.

2

디지털 수를 옆에서 거울에 비추었을 때 숫자의 왼쪽과 오른쪽이 바뀝니다.

최상위 사고력

글자 카드를 오른쪽 또는 왼쪽 거울에 비추었을 때 글자의 왼쪽과 오른쪽이 바뀝니다.

글자 카드를 위 또는 아래 거울에 비추었을 때 글자의 위와 아래가 바뀝니다.

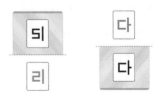

3-3. 같은 모양과 다른 모양

1 왼쪽 모양을 돌렸을 때 같은 모양을 찾아 ◯표 하세요.

(1)
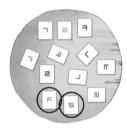

(2)
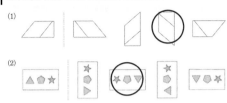

뇌가 번쩍
모양을 돌렸을 때 다른 모양은 어떻게 찾을까요?

기준　　　　●, ＊의 위치가 다름

기준이 되는 모양의 특징을 찾아 비교합니다.

최상위
사고력
다음 중 다른 모양을 찾아 ◯표 하세요.

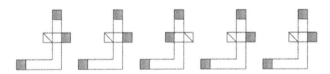

풀이 방법
2 여러 장의 자음 카드 중에서 잘못된 자음 카드를 모두 찾아 ◯표 하세요.

저자 톡! 공간 관계에 대한 지각 능력은 학생 자신 또는 서로와 관련하여 둘 이상의 물체를 보는 능력을 말합니다. 같은 모양과 다른 모양을 찾아보면서 공간 관계에 대한 지각 능력을 기를 수 있습니다.

1

⑴ 왼쪽 모양을 시계 반대 방향으로 반의 반 바퀴만큼 돌리면 왼쪽에서 세 번째 모양과 같습니다.

⑵ 왼쪽 모양을 시계 방향으로 반 바퀴만큼 돌리면 왼쪽에서 두 번째 모양과 같습니다.

2

자음 카드를 돌려보며 잘못된 자음 카드를 찾아봅니다.

최상위
사고력

주어진 모양을 같은 방향으로 놓아보면 다음과 같습니다.

따라서 다른 모양은 왼쪽에서 세 번째 모양입니다.

최상위 사고력

1 친구 5명이 둥글게 서로 마주 보며 서 있습니다. □ 안에 알맞은 말을 써넣으세요.

(1) 정환이는 지우의 **왼** 쪽에 있습니다.

(2) 은우의 왼쪽에 **민서** (이)가 있습니다.

(3) 민서의 **왼** 쪽에 있는 친구와 정환이의 **오른** 쪽에 있는 친구는 같습니다.

2 학교, 문구점, 서점, 놀이터의 위치를 찾아 □ 안에 알맞은 장소를 써넣으세요.

• 놀이터의 북쪽에 문구점이 있습니다.
• 학교의 남쪽에 서점이 있고, 동쪽에 문구점이 있습니다.

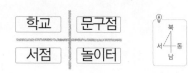

3 가연이가 3개의 거울로 둘러싸인 곳에 앞을 보고 서서 왼쪽 팔을 들고 있습니다. 거울 ㉠, ㉡, ㉢에 비친 모습 중 잘못된 모습을 찾아 기호를 쓰세요.

㉢

4 주어진 수 카드와 같은 수 카드를 가지고 있는 사람의 이름을 쓰세요.

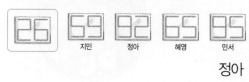

정아

1

보는 방향에 따라 오른쪽과 왼쪽이 달라진다는 것에 유의하며 찾아봅니다.

2

• 학교의 남쪽에 서점이 있고, 동쪽에 문구점이 있습니다.
➡ 학교는 서점 북쪽에 있고, 문구점 서쪽에 있습니다.

• 놀이터 북쪽에 문구점이 있습니다.
➡ 문구점 남쪽에 놀이터가 있습니다.

3

왼쪽 팔을 들고 있는 가연이가 거울 ㉢에 비친 모습은 다음과 같이 왼쪽 팔이 거울의 가장 앞쪽에 있습니다.

4

주어진 수 카드를 시계 방향으로 반 바퀴 돌리면 정아가 가지고 있는 수 카드와 같습니다.

최상위 사고력 **4 쌓기나무**

4-1. 똑같은 모양 찾기

1 오른쪽 모양은 주어진 모양과 똑같은 모양입니다. 오른쪽 모양에서 파란색 쌓기나무의 위치를 찾아 색칠하세요.

보기 반찬 **2** 왼쪽과 똑같은 모양에 ○표, 오른쪽과 똑같은 모양에 △표 하세요.

똑같은 모양이라구요?

바라보는 위치에 따라 다르게 보일 수 있어요.

최상위 사고력 민수, 지아, 연우, 은희는 각각 모양을 만들고, 위에서 본 모양에 쌓기나무의 개수를 써넣어 만든 모양을 나타내었습니다. 주어진 쌓기나무 모양과 똑같은 모양을 만든 사람을 찾아 이름을 쓰세요.

위	위	위	위
민수	지아	연우	은희

은희

저자 톡! 공간 감각은 실생활에 필요한 기본적인 능력일 뿐만 아니라 도형과 도형의 성질을 학습하는 것과 매우 밀접한 관련을 가집니다. 쌓기나무는 이러한 공간 감각을 기를 수 있는 대표적인 교구입니다. 이번 주제에서는 쌓기나무를 여러 방향에서 보고 쌓은 모양을 알아볼 수 있는 다양한 기회를 제공함으로써 공간과 입체에 대한 흥미를 증진하고 깊이 있는 이해를 도모합니다.

1

지도 가이드
학생이 파란색 쌓기나무의 위치를 찾는 것을 어려워할 경우 쌓기나무 교구를 사용하여 주어진 모양을 만들고, 만든 모양을 돌려 봅니다.

2

왼쪽 모양과 오른쪽 모양을 돌려보며 똑같은 모양을 찾아봅니다.

최상위 사고력

위에서 본 모양에 쌓기나무의 개수를 써넣은 것을 이용하여 쌓기나무로 쌓은 모양을 만들면 다음과 같습니다.

민수   지아   연우   은희

따라서 주어진 쌓기나무 모양과 똑같은 모양을 만든 사람은 은희입니다.

4-2. 보이지 않는 쌓기나무

1 왼쪽 모양을 오른쪽과 같이 나누었을 때 처음 모양에서 보이지 않았던 쌓기나무를 찾아 색칠하세요.

(1)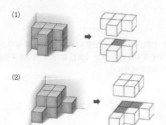

(2)

보이지 않는 쌓기나무는 어떻게 찾을까요?

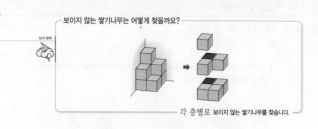

각 층별로 보이지 않는 쌓기나무를 찾습니다.

2 다음 모양에서 보이는 쌓기나무와 보이지 않는 쌓기나무는 각각 몇 개인지 □ 안에 알맞은 수를 써넣으세요.

보이는 쌓기나무 **5** 개
보이지 않는 쌓기나무 **2** 개

최상위 사고력 왼쪽 모양과 보이지 않는 쌓기나무의 개수가 같은 모양을 찾아 기호를 쓰세요.

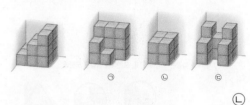

ⓐ ⓑ ⓒ

ⓑ

저자 톡! 쌓기나무로 쌓은 모양을 층별로 나타낸 모양을 보고 쌓은 모양에서 쌓기나무의 개수를 추측할 때 보이지 않는 부분에 쌓기나무가 있을 수 있음을 인식할 수 있도록 합니다.

1

각 층별로 보이지 않는 쌓기나무를 찾아봅니다.

2

• 전체 쌓기나무의 개수: $3+3+1=7$(개)

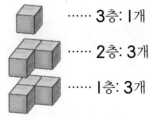

······ 3층: 1개

······ 2층: 3개

······ 1층: 3개

• 보이는 쌓기나무의 개수: 5개

따라서 보이는 쌓기나무는 5개, 보이지 않는 쌓기나무는 $7-5=2$(개)입니다.

최상위
사고력

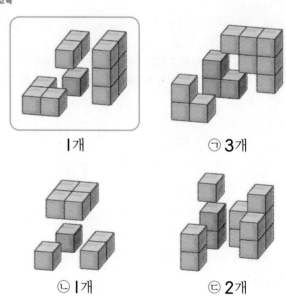

1개   ㉠ 3개

ⓛ 1개   ㉢ 2개

따라서 주어진 모양과 보이지 않는 쌓기나무의 개수가 같은 모양은 ⓛ입니다.

4-3. 모양 만들기

1 |보기|와 같이 왼쪽 모양에서 가장 적은 개수의 쌓기나무를 옮겨서 오른쪽 모양을 만들려고 합니다. 옮겨야 하는 쌓기나무에 ○표 하세요.

 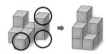

2 두 조각을 붙여서 주어진 상자 모양을 만들려고 합니다. 붙여야 하는 두 조각의 기호를 짝지어 나타내세요.

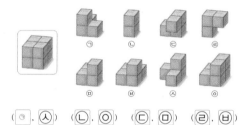

(㉠ , ㉾) (㉡ , ㉺) (㉢ , ㉱) (㉣ , ㉲)

💡 쌓기나무를 붙여서 여러 가지 모양을 만들 때는 쌓기나무가 반드시 바닥에 닿지 않아도 돼요.

두 조각을 붙여서 어떤 모양을 만들 수 있을까요?

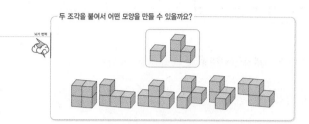

최상위 사고력 다음과 같은 두 종류의 조각을 가장 적게 이용하여 세 가지 모양을 만들었습니다. 이용한 조각의 수가 다른 모양에 ○표 하세요.

저자 톡! 직접 쌓기나무로 모양을 만들어 보고 확인한 경험을 바탕으로 머릿속에서 쌓기나무를 움직이고 붙여서 문제를 해결할 수 있도록 합니다.

1

모양을 쌓은 특징을 살펴보고 각 자리에 놓인 쌓기나무의 개수가 많이 겹치는 곳을 제외한 곳에 있는 쌓기나무를 옮깁니다.

2

두 조각을 붙여서 쌓기나무가 8개인 주어진 모양을 만들어야 하므로 ㉡과 ㉲, ㉣과 ㉲을 짝지을 수 있습니다. 남은 조각의 모양을 보고 다음과 같이 확인합니다.

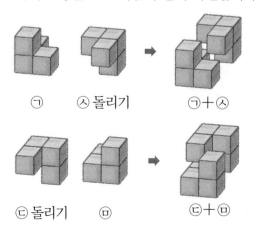

최상위 사고력

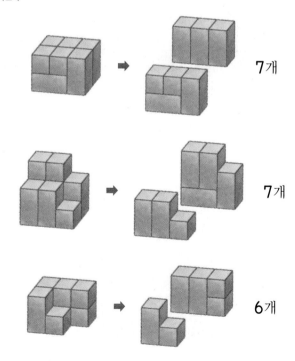

따라서 이용한 조각의 수가 다른 모양은 왼쪽에서 세 번째 모양입니다.

17 정답과 풀이

최상위 사고력

1 다음 쌓기나무 모양 중 다른 모양 하나를 찾아 ○표 하세요.

3 위에서 본 모양이 다음과 같이 되도록 쌓기나무 5개를 쌓는 방법은 모두 몇 가지인지 구하세요. (단, 돌렸을 때 같은 모양은 한 가지로 생각합니다.)

4가지

2 왼쪽 모양의 바닥면을 제외한 겉면에 모두 초록색 페인트를 칠했습니다. 초록색 페인트가 하나도 칠해지지 않은 쌓기나무는 모두 몇 개인지 구하세요.

6개

4 쌓기나무 4개를 쌓아서 2층인 모양을 만들려고 합니다. 만들 수 있는 서로 다른 모양은 모두 몇 가지인지 구하세요. (단, 돌렸을 때 같은 모양은 한 가지로 생각합니다.)

6가지

1

주어진 쌓기나무를 같은 방향으로 놓으면 다음과 같습니다.

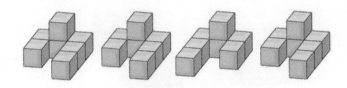

2

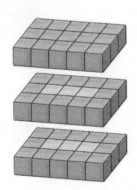

따라서 초록색 페인트가 하나도 색칠되지 않은 쌓기나무는 모두 6개입니다.

3

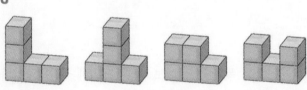

➡ 4가지

4

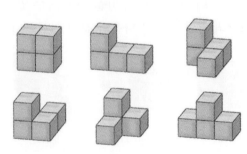

➡ 6가지

Review II 도형

1 지호와 선희의 모습을 보고 알맞은 것을 모두 찾아 기호를 쓰세요.

지호   선희

㉠ 지호는 왼손에 사탕을 들고 있습니다.
㉡ 선희는 오른손을 들고 있습니다.
㉢ 지호는 오른손에 사탕을 들고 있습니다.
㉣ 선희는 왼손을 들고 있습니다.

㉠, ㉣

2 미로를 통과하는 길을 그리고, 미로를 통과하기 위해 오른쪽, 왼쪽으로 각각 방향을 몇 번 바꿔야 하는지 차례로 쓰세요.

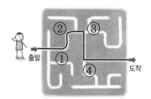

2번, 2번

3 다음 쌓기나무 모양 중 다른 모양 하나를 찾아 기호를 쓰세요.

㉣

4 주어진 두 조각을 붙여서 만들 수 없는 모양을 모두 찾아 기호를 쓰세요.

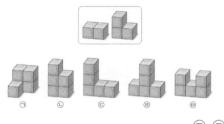

㉢, ㉣

1

지호는 왼손에 사탕을 들고 있습니다.
선희는 왼손을 들고 있습니다.

2

미로를 통과하기 위해 ① 왼쪽, ② 오른쪽, ③ 오른쪽, ④ 왼쪽으로 방향을 바꿔야 합니다.
따라서 오른쪽으로 2번, 왼쪽으로 2번 방향을 바꿔야 합니다.

3

주어진 쌓기나무를 같은 방향으로 놓으면 다음과 같습니다.

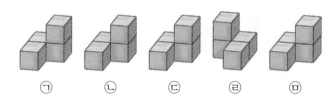

㉠   ㉡   ㉢   ㉣   ㉤

따라서 다른 모양 하나는 ㉣입니다.

4

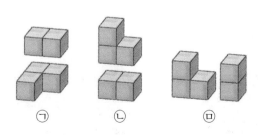

㉠   ㉡   ㉤

따라서 만들 수 없는 모양은 ㉢, ㉣입니다.

5   왼쪽 모양의 바닥면을 제외한 겉면에 모두 하늘색 페인트를 칠했습니다. 하늘색 페인트가 하나도 칠해지지 않은 쌓기나무는 모두 몇 개인지 구하세요.

2개

6   왼쪽과 같은 모양의 초콜릿이 있습니다. 이 초콜릿을 선을 따라 자를 수 있다고 할 때 오른쪽과 같은 모양으로 최대 몇 개까지 자를 수 있는지 구하세요.

5개

5

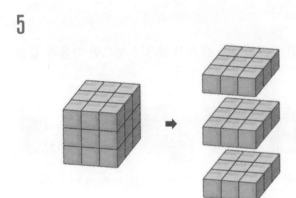

따라서 하늘색 페인트가 하나도 색칠되지 않은 쌓기나무는 모두 2개입니다.

6

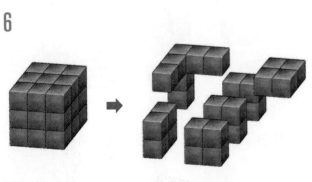

➡ 5개

Ⅲ 확률과 통계

5 분류와 기준

5-1. 한 가지 기준으로 분류하기

1 동물을 보고 물음에 답하세요.

상어　뱀　개　달팽이　독수리

앵무새　호랑이　코끼리　비둘기　기린

(1) 동물을 다리 수에 따라 분류한 것입니다. 빈칸에 알맞은 수나 말을 써넣어 표를 완성하세요.

다리 수	0개	2개	4개
동물 이름	상어, 뱀, 달팽이	독수리, 앵무새, 비둘기	개, 호랑이, 코끼리, 기린

(2) 기준을 정하여 동물을 분류하세요.

분류 기준: **(예)** 사는 곳에 따라 분류합니다.

사는 곳	땅	하늘	바다
동물 이름	뱀, 개, 달팽이, 호랑이, 코끼리, 기린	독수리, 앵무새, 비둘기	상어

분류 기준을 어떻게 세워야 할까요?

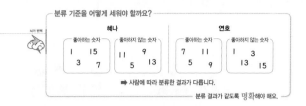

	혜나			연호	
	좋아하는 숫자	좋아하지 않는 숫자		좋아하는 숫자	좋아하지 않는 숫자
	1 15 3 7	11 9 5 13		7 11 5 9	1 3 13 15

➡ 사람에 따라 분류한 결과가 다릅니다.

분류 결과가 같도록 **명확**해야 해요.

인형을 여러 가지 기준으로 분류하고 그 수를 세어 보세요.

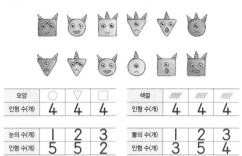

모양	○	▽	□
인형 수(개)	4	4	4

색깔	▨	▨	▨
인형 수(개)	4	4	4

눈의 수(개)	1	2	3
인형 수(개)	5	5	2

뿔의 수(개)	1	2	3
인형 수(개)	3	5	4

저자 톡! 사물을 한 가지 기준에 따라 분류해 봅니다. 또한 분류한 사물을 보고 분류 기준을 찾아보며 분류 기준을 세울 때에는 누가 분류해도 결과가 같도록 명확하고 객관적이어야 함을 알 수 있도록 지도합니다.

1

주의
주어진 표는 3칸으로 이루어져 있으므로 3가지로 분류되는 기준을 찾아야 합니다. 2가지 또는 4가지 등으로 분류되는 기준을 찾지 않도록 합니다.

최상위 사고력

지도 가이드
자료의 수를 셀 때는 센 자료에 ○, /, ✕와 같이 표시하여 빠트리거나 여러 번 세지 않도록 지도해 주세요. 다 센 후에는 자료의 수와 분류한 자료의 합이 같은지 확인해 보는 것이 좋습니다. 인형의 수는 12개이므로 각각의 분류표에서 자료의 수의 합이 12가 되어야 합니다.

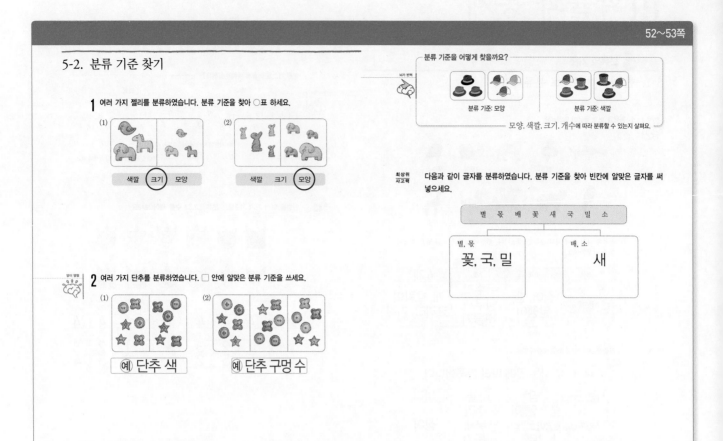

5-2. 분류 기준 찾기

1 여러 가지 젤리를 분류하였습니다. 분류 기준을 찾아 ○표 하세요.

(1) 색깔   크기   모양

(2) 색깔   크기   모양

2 여러 가지 단추를 분류하였습니다. □안에 알맞은 분류 기준을 쓰세요.

(1) 예 단추 색

(2) 예 단추 구멍 수

분류 기준을 어떻게 찾을까요?

분류 기준: 모양   분류 기준: 색깔

모양, 색깔, 크기, 개수에 따라 분류할 수 있는지 살펴요.

최상위
사고력   다음과 같이 글자를 분류하였습니다. 분류 기준을 찾아 빈칸에 알맞은 글자를 써 넣으세요.

별 몫 배 꽃 새 국 밀 소

별, 몫   배, 소

꽃, 국, 밀   새

저자 톡! 분류되어 있는 모습을 관찰하고 분류된 기준을 찾아보는 단원입니다. 색깔, 크기, 모양, 개수 등의 분류 기준을 찾는 과정을 통해 추리력, 논리력, 문제해결력을 길러 봅니다.

1

(1) 큰 모양 젤리와 작은 모양 젤리로 분류되어 있습니다.

(2) 토끼 모양 젤리와 코끼리 모양 젤리로 분류되어 있습니다.

2

(1) 파란색 단추와 보라색 단추로 분류되어 있습니다.

(2) 단추 구멍이 4개, 2개, 1개인 단추로 분류되어 있습니다.

최상위
사고력

별과 배의 차이점은 받침이 있는 것과 받침이 없는 것입니다. 따라서 주어진 단어를 받침이 있는 것과 받침이 없는 것으로 나누어야 합니다.

• 받침이 있는 것: 별, 몫, 꽃, 국, 밀

• 받침이 없는 것: 배, 새, 소

주의
주어진 단어를 빠짐없이 분류할 수 있는 기준을 찾아야 합니다.

5-3. 두 가지 기준으로 분류하기

1 일정한 규칙에 따라 젤리를 분류하였습니다. 빈칸에 알맞은 젤리를 찾아 기호를 써넣으세요.

두 가지 기준으로 분류한 표는 어떻게 채울까요?

각각의 칸에 두 가지 기준을 모두 만족하는 모양을 채워요.

2 분류표를 보고 잘못 분류된 모양을 모두 찾아 ×표 하세요.

최상위 사고력 수 카드를 분류하려고 합니다. 빈칸에 알맞은 수 카드를 써넣어 분류표를 완성하세요.

2 8 14 9 20
19 16 3 11 5

	10보다 작은 수	10보다 큰 수
홀수	3, 5, 9	11, 19
짝수	2, 8	14, 16, 20

저자 톡! 대상을 두 가지 기준으로 분류해 봅니다. 두 가지 기준을 모두 만족하는 것을 찾는 방법을 연습하고, 분류표를 알맞게 채워 봅니다. 더 나아가 잘못 분류된 것을 찾아보며 분류하는 방법에 대해 확실히 이해하도록 합니다.

1

가로줄은 모양, 세로줄은 색깔을 기준으로 분류한 규칙입니다.

해결 전략
가로줄과 세로줄에 젤리를 놓는 규칙을 각각 찾아봅니다.

2

: 같은 색깔이지만 같은 모양이 아닙니다.

: 다른 색깔이지만 같은 모양이 아닙니다.

: 다른 모양이지만 다른 색깔이 아닙니다.

최상위 사고력

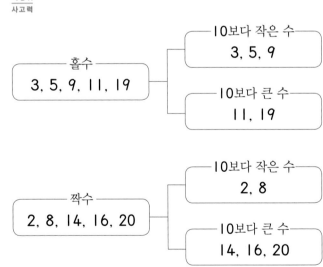

최상위 사고력

1 모양 카드를 여러 가지 기준으로 분류하고 그 수를 세어 보세요.

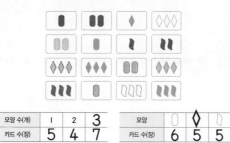

모양 수(개)	1	2	3
카드 수(장)	5	4	7

모양	◡	◇	◠
카드 수(장)	6	5	5

2 어떤 기준에 따라 주머니에 구슬을 담았습니다. 구슬을 담은 기준은 무엇입니까?

예 같은 색 구슬을 2개씩 담습니다.

3 두 가지 기준으로 카드를 분류하였습니다. 분류 기준을 알맞게 써넣어 분류표를 완성하세요.

4 일정한 규칙에 따라 단추를 분류하였습니다. 빈칸에 알맞은 단추를 찾아 기호를 써넣으세요.

1

모양의 수는 1개, 2개, 3개로 분류할 수 있고, 모양은 ◡, ◇, ◠로 분류할 수 있습니다.

보충 개념
모양 카드의 수는 16장이므로 각각의 분류표에서 자료의 수의 합이 16이 되어야 합니다.

2

• 구슬의 개수: 4개, 4개, 6개, 5개로 공통점이 없습니다.
• 구슬의 색깔: 같은 색깔의 구슬이 2개씩 들어 있습니다.

따라서 구슬을 담은 기준은 같은 색깔의 구슬을 2개씩 담기입니다.

3

가로줄과 세로줄에 있는 카드의 공통점을 찾아봅니다.
가로줄은 카드에 적힌 숫자가 4와 7로 같으므로 분류 기준은 '숫자'입니다.
세로줄은 카드에 적힌 모양이 ♠, ♣, ♦으로 같으므로 분류 기준은 '모양'입니다.

4

가로줄과 세로줄에 있는 단추의 공통점을 찾아봅니다.

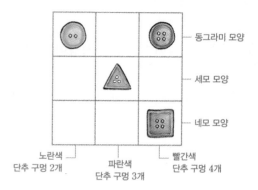

6 같은 점과 다른 점

6-1. 공통점과 차이점

1 왼쪽에 놓인 6개 그림과 오른쪽에 놓인 6개 그림의 차이점을 쓰세요.

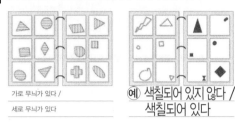

가로 무늬가 있다 /

세로 무늬가 있다

예 색칠되어 있지 않다 /

색칠되어 있다

 2 공통점이 있는 것끼리 가 와 나 에 나누어 놓았습니다. □ 안에 주어진 그림을 놓을 수 있는 곳의 기호를 써넣으세요.

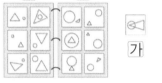

가 나

공통점과 차이점은 어떻게 찾을까요?

뇌가 번쩍 🐸

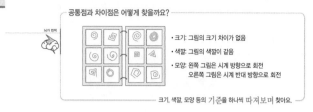

• 크기: 그림의 크기 차이가 없음
• 색깔: 그림의 색깔이 같음
• 모양: 왼쪽 그림은 시계 방향으로 회전
  오른쪽 그림은 시계 반대 방향으로 회전

크기, 색깔, 모양 등의 기준을 하나씩 따져 보며 찾아요.

최상위 사고력 공통점이 있는 것끼리 왼쪽과 오른쪽에 나누어 놓았습니다. 잘못 놓인 그림을 모두 찾아 ×표 하세요.

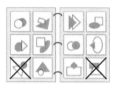

저자 톡! 그림 12개를 왼쪽과 오른쪽에 6개씩 나눈 분류 기준을 찾아보는 단원입니다. 색깔, 크기, 모양, 대칭 등 수학의 여러 가지 요소들을 이용하여 기준을 찾아보며 문제해결력, 예측력 등을 길러 봅니다.

1

지도 가이드
색깔, 개수, 모양, 무늬 등 다양한 속성을 분류 기준으로 정하고 대상 하나하나에 적용해 보며 분류한 이유를 바르게 설명할 수 있도록 지도해 주세요.

2

가는 세모 모양이 동그라미 모양보다 큰 그림이 모여 있는 것입니다.
나는 동그라미 모양이 세모 모양보다 큰 그림이 모여 있는 것입니다.

 : 세모 모양이 동그라미 모양보다 크므로 가에 놓을 수 있습니다.

 : 동그라미 모양이 세모 모양보다 크므로 나에 놓을 수 있습니다.

최상위 사고력

왼쪽은 색칠된 도형이 색칠되지 않은 도형 아래에 놓인 그림이 모여 있는 것이고, 오른쪽은 색칠된 도형이 색칠되지 않은 도형 위에 놓인 그림이 모여 있는 것입니다.

해결 전략
놓인 그림들의 공통점을 찾고 잘못 놓인 도형을 찾아봅니다.

6-2. 이름 약속

1 다음을 보고 물음에 답하세요.

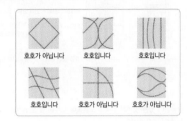

호호가 아닙니다 　 호호입니다 　 호호입니다

호호입니다 　 호호가 아닙니다 　 호호가 아닙니다

(1) '호호'인 것과 '호호'가 아닌 것으로 나누는 기준을 쓰세요.

예 호호는 곧은 선 2개, 굽은 선 2개인 그림입니다.

(2) 주어진 그림이 '호호'이면 ○표, '호호'가 아니면 ✕표 하세요.

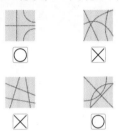

○　✕

✕　○

밍밍과 밍밍이 아닌 것의 기준을 어떻게 찾을까요?

밍밍입니다	밍밍이 아닙니다
➡ 다리가 4개인 동물	➡ 다리가 4개가 아닌 동물

└ 공통점과 차이점을 살펴보세요.

최상위 사고력 다음을 보고 '곰곰'인 모양과 '곰곰'이 아닌 모양을 그리세요.

곰곰입니다　곰곰이 아닙니다　곰곰입니다　곰곰이 아닙니다　곰곰입니다

예

곰곰입니다 　 곰곰이 아닙니다

TIP 선의 형태를 살펴보세요.

저자 톡! '이름 약속'은 공통적인 특징을 가진 그림들에 같은 이름을 붙이는 것입니다. 같은 이름을 가진 그림들을 보고 공통적인 특징을 찾아보며 수학적 예측력과 문제해결력 등을 길러 봅니다.

1

곧은 선 4개　　곧은 선 2개　　곧은 선 2개
　　　　　　　굽은 선 2개　　굽은 선 2개

곧은 선 2개　　곧은 선 2개　　굽은 선 4개
굽은 선 2개　　굽은 선 1개

호호인 것의 공통점은 곧은 선이 2개, 굽은 선이 2개인 것입니다.

해결 전략
선의 형태, 선의 개수를 비교해 봅니다.

최상위 사고력

'곰곰'은 선이 닫힌 도형이므로
'곰곰'이 아닌 도형은 선이 열린 도형입니다.

해결 전략
곰곰인 것과 곰곰이 아닌 것을 비교하여 공통점과 차이점을 찾아봅니다.

6-3. 벤 다이어그램

1 두 가지 기준을 모두 만족하는 것을 찾아 빈칸에 알맞은 기호를 쓰세요.

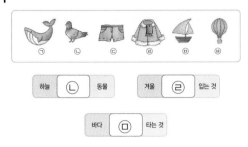

| 하늘 | ⓛ | 동물 |

| 겨울 | ㉣ | 입는 것 |

| 바다 | ㉤ | 타는 것 |

2 벤 다이어그램에서 잘못 들어간 것을 찾아 알맞은 위치로 옮기세요.

벤 다이어그램으로 알 수 있는 것은 무엇일까요?

두 가지 기준으로 분류된 모습을 한눈에 알 수 있어요.

최상위 사고력 ☐ 안에 알맞은 기준을 쓰고, 알맞은 곳에 단어를 모두 써넣으세요.

| 요트 | 고래 | 유람선 | 오징어 |
| 사슴 | 잠수함 | 사자 | 독수리 |

㉠ **바다** — **동물**

요트 유람선 잠수함 / 고래 오징어 / 사슴 사자 독수리

저자 톡! 벤 다이어그램은 사물을 여러 가지 기준으로 분류할 때 사용하는 방법 중 하나입니다. 앞에서 배웠던 표로 분류하기와 비교해 보며 편리한 점을 생각해 봅니다.

1

하늘을 나는 동물은 ⓛ입니다.

겨울에 입는 것은 ㉣입니다.

바다에서 타는 것은 ㉤입니다.

2

딸기는 빨간색이면서 먹을 것이므로 원이 겹쳐지는 부분에 들어가야 합니다.

보충 개념

• A에도 속하고 B에도 속합니다.

• A에만 속합니다. • B에만 속합니다.

최상위 사고력

주어진 단어들을 공통점을 가진 단어끼리 묶어 봅니다.

• 바다: 요트, 고래, 유람선, 오징어, 잠수함

• 하늘: 독수리

• 탈 것: 요트, 유람선, 잠수함

• 동물: 고래, 오징어, 사슴, 사자, 독수리

단어를 모두 사용하여 벤 다이어그램으로 나타낼 수 있는 기준은 바다─동물입니다.

주의

두 가지 기준을 모두 만족하는 단어가 있어야 합니다.

㉠ 탈 것─동물

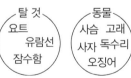

탈 것 / 요트 유람선 잠수함 동물 / 사슴 고래 사자 독수리 오징어

➡ 두 가지 기준을 모두 만족하는 단어가 없으므로 알맞은 기준이 아닙니다.

최상위 사고력

1 공통점이 있는 것끼리 가 와 나 에 나누어 놓았습니다. 주어진 그림을 가 에 놓을 수 있도록 점 하나를 더 그리세요.

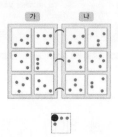

2 6개의 모양 중 다른 속성을 가진 모양 1개를 찾아 ○표 하세요.

3 벤 다이어그램의 색칠한 부분에 들어갈 알맞은 수를 쓰세요.

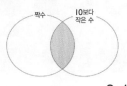

2, 4, 6, 8

4 벤 다이어그램의 색칠한 부분에 들어갈 수 있는 것을 찾아 기호를 쓰세요.

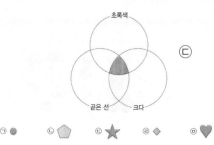

1

왼쪽은 ● 3개가 한 줄로 놓여 있는 그림이고, 오른쪽은 ● 2개가 한 줄로 놓여 있는 그림입니다.

해결 전략
점이 놓여있는 위치의 공통점을 찾아봅니다.

2

나머지 5개는 귀 모양이 같지만,

는 귀 모양이 다릅니다.

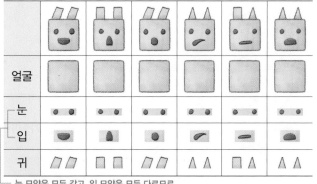

눈 모양은 모두 같고, 입 모양은 모두 다르므로
이 중에서 다른 속성을 가진 모양 1개를 찾을 수 없습니다.

3

색칠한 부분에 알맞은 수는 10보다 작은 수이면서 짝수인 수입니다.
1, ②, 3, ④, 5, ⑥, 7, ⑧, 9
따라서 색칠한 부분에 들어갈 알맞은 수는 2, 4, 6, 8입니다.

4

색칠된 부분에는 세 가지 기준을 모두 만족하는 것이 분류됩니다. 따라서 초록색이고, 곧은 선으로 이루어져 있으면서 크기가 큰 도형인 ㉢이 들어갈 수 있습니다.

보충 개념
A에도 속하고 B에도 속하고 C에도 속합니다.

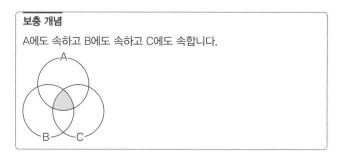

Review Ⅲ 확률과 통계

1 □안에 알맞은 분류 기준을 쓰세요.

예 여름과 겨울

2 다음을 보고 모모는 무엇인지 쓰세요.

모모입니다　　　　　모모가 아닙니다

예 빨간색 사물입니다.

3 벤 다이어그램에서 잘못 들어간 것을 찾아 알맞은 위치로 옮기세요.

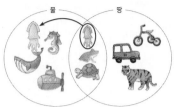

4 서로 다른 기준으로 카드를 3장씩 분류했습니다. 나머지 한 장의 카드로 알맞은 것을 찾아 기호를 쓰세요.

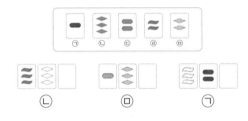

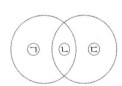

ⓛ　　　　　ⓜ　　　　　⊙

1

왼쪽은 여름에 볼 수 있는 것, 오른쪽은 겨울에 볼 수 있는 것으로 분류하였습니다.

> 해결 전략
> 먼저 분류된 사물들의 공통점을 찾아봅니다.

2

'모모'인 것과 '모모'가 아닌 것을 살펴보면
'모모'는 빨간색 사물이고,
'모모'가 아닌 것은 빨간색이 아닌 사물입니다.
따라서 빨간색인 사물은 모모라고 이름 붙일 수 있습니다.

3

ⓛ에는 물에도 속하고 땅에도 속하는 것이 들어가야 합니다. 오징어는 땅에 속하지 않고 물에만 속하므로 ⊙으로 옮겨야 합니다.

4

• 첫 번째 묶음의 기준: 개수 ➡ 3개
• 두 번째 묶음의 기준: 무늬 ➡ 가로줄
• 세 번째 묶음의 기준: 색깔 ➡ 보라색

5 왼쪽에 놓인 6개 그림과 오른쪽에 놓인 6개 그림의 차이점을 쓰세요.

예 크기가 큰 그림 /
크기가 작은 그림

6 일정한 규칙에 따라 과자를 분류하였습니다. 빈칸에 알맞은 과자의 기호를 써넣으세요.

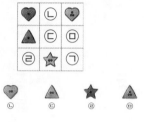

5

왼쪽은 크기가 큰 도형이 모여 있는 것이고, 오른쪽은
크기가 작은 도형이 모여 있는 것입니다.

6

가로줄은 모양, 세로줄은 초코의 개수를 기준으로 분
류하였습니다.

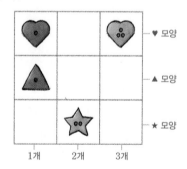

7 길이 비교

7-1. 길이 비교하기(1)

 1 배 4척에서 각각 닻을 내렸습니다. 물음에 알맞은 기호를 쓰세요.

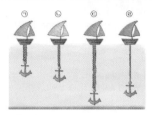

(1) 닻을 맨 줄이 가장 긴 배는 무엇입니까? ㉢

(2) 닻을 바닥에 가장 가깝게 내린 배는 무엇입니까? ㉢

(3) 닻을 맨 줄이 가장 굵은 배는 무엇입니까? ㉠

길이는 '길다', '짧다'라고만 표현될까요?

높이	깊이	굵기

높이: 높다 / 낮다
깊이: 깊다 / 얕다
굵기: 가늘다 / 굵다

상황에 따라 길이를 나타내는 표현이 달라요.

최상위 사고력 **A**
지수네 집에서 가까운 곳에 사는 친구 순서대로 이름을 쓰세요.

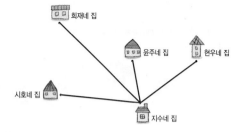

🔍 가까운 곳은 거리가 짧은 곳을 뜻해요.

윤주, 현우, 시호, 희재

최상위 사고력 **B**
굵기가 다른 통나무에 끈을 4번씩 감았습니다. 사용한 끈의 길이가 가장 긴 것의 기호를 쓰세요.

🔍 통나무의 굵기와 사용한 끈의 길이 사이의 관계를 찾아보세요.

㉡

저자 톡! 길이는 사람의 키를 나타낼 때는 크다/작다, 건물이나 산의 높이를 나타낼 때는 높다/낮다, 책의 두께를 나타낼 때는 두껍다/얇다, 막대나 밧줄 등의 굵기를 나타낼 때는 굵다/가늘다로 나타냅니다. 여러 가지 상황에서 길이를 나타내는 알맞은 표현을 익혀보도록 합니다.

1

(1) 닻을 맨 줄은 ㉢, ㉣, ㉡, ㉠ 순서로 깁니다.
따라서 닻을 맨 줄이 가장 긴 배는 ㉢입니다.

(2) 닻을 맨 줄이 길수록 바닥에 가깝게 내린 배입니다.
따라서 닻을 가장 가깝게 내린 배는 ㉢입니다.

(3) 닻을 맨 줄은 ㉠, ㉢, ㉡, ㉣ 순서로 굵습니다.
따라서 닻을 맨 줄이 가장 굵은 배는 ㉠입니다.

최상위 사고력 **A**

점과 점을 잇는 선을 그으면 선의 길이가 짧을수록 가까운 곳이므로 윤주, 현우, 시호, 희재 순서로 지수네 집에서 가깝습니다.

해결 전략
점과 점을 잇는 선을 긋고, 그은 선의 길이를 비교합니다.

최상위 사고력 **B**

통나무에 끈을 감은 횟수가 같은 경우에는 통나무의 굵기가 굵을수록 감은 끈의 길이가 더 깁니다.
사용한 끈의 길이는 ㉡, ㉠, ㉢, ㉣ 순서로 깁니다.
따라서 사용한 끈의 길이가 가장 긴 것은 ㉡입니다.

7-2. 길이 비교하기(2)

1 키가 큰 동물 순서대로 이름을 쓰세요.

개　　타조　　돼지　　거위

타조, 돼지, 개, 거위

2 나무에 길이가 같은 못 4개가 박혀 있습니다. 가장 깊게 박힌 못에 ○표 하세요.

보이지 않는 부분의 길이는 어떻게 비교할까요?

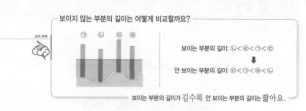

보이는 부분의 길이: ㉡<㉢<㉠<㉣

↓

안 보이는 부분의 길이: ㉣<㉠<㉢<㉡

보이는 부분의 길이가 길수록 안 보이는 부분의 길이는 짧아요.

최상위 사고력 길이가 같은 막대를 페인트 통의 바닥까지 닿게 넣었다 뺐습니다. 페인트가 적게 담긴 페인트 통 순서대로 색깔을 쓰세요.

노란색　　파란색　　빨간색　　초록색

📍 페인트 통의 크기와 모양은 모두 같아요.

파란색, 초록색, 노란색, 빨간색

저자 톡! 이 단원에서는 보이는 것과 보이지 않는 것의 길이를 비교해 봅니다. 먼저 보이는 것의 길이를 비교한 다음 보이지 않는 것의 길이를 추론, 예상해 보면서 문제해결력을 길러봅니다.

1

동물이 서 있는 바닥의 높이가 낮을수록 동물의 키가 큽니다. 바닥의 높이는 타조, 돼지, 개, 거위가 서 있는 곳 순서로 낮습니다.

따라서 동물은 타조, 돼지, 개, 거위 순서로 키가 큽니다.

> **해결 전략**
> 동물이 서 있는 바닥의 높이를 비교해 봅니다.

2

나무 안에 박혀 있는 못은 다음과 같습니다.

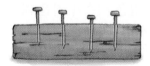

따라서 못은 나무 위로 보이는 부분의 길이가 짧을수록 나무에 더 깊게 박혀 있습니다.

최상위 사고력

막대에 페인트가 묻은 부분의 길이가 짧을수록 페인트 통에 있는 페인트의 양이 적은 것입니다.

막대에 페인트가 묻은 부분의 길이는 파란색, 초록색, 노란색, 빨간색 순서로 짧습니다.

따라서 물감이 적게 담긴 페인트 통 순서대로 색깔을 쓰면 파란색, 초록색, 노란색, 빨간색입니다.

7-3. 길이 재기

1 빨간색 선과 파란색 선의 길이에 대한 설명으로 알맞은 것을 찾아 기호를 쓰세요.

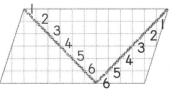

> ㉠ 빨간색 선이 파란색 선보다 더 깁니다.
> ㉡ 파란색 선이 빨간색 선보다 더 깁니다.
> ㉢ 빨간색 선과 파란색 선의 길이가 같습니다.

㉢

2 유치원에서 가장 먼 곳을 쓰세요.

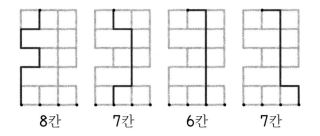

모눈에서 길이를 어떻게 비교할까요?

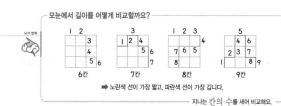

➡ 노란색 선이 가장 짧고, 파란색 선이 가장 깁니다.

— 지나는 칸의 수를 세어 비교해요.

최상위 사고력 한 칸의 길이가 1인 모눈 위에 색 테이프를 3번 접어 놓았습니다. 색 테이프의 길이를 구하세요.

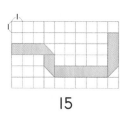

15

저자 톡! 선의 방향, 각도, 주위의 선과 형의 관계에 따라 실제의 길이와 다르게 보일 수 있습니다. 따라서 길이를 정확하게 알기 위해 모눈 칸의 수를 세어 길이를 비교하는 방법을 익혀 봅니다.

1

빨간색 선이 파란색 선보다 길어 보이지만 모눈 칸을 세어 보면 모두 6칸을 지납니다.
따라서 빨간색 선과 파란색 선의 길이는 같습니다.

2

□ 의 칸의 수를 세어 거리를 비교해 봅니다.

8칸   7칸   6칸   7칸

따라서 유치원에서 가장 먼 곳은 도서관입니다.

최상위 사고력

색 테이프의 한 쪽을 따라 선을 긋고, 지나는 모눈 칸의 수를 세어 봅니다.

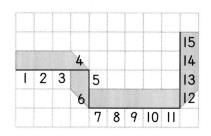

따라서 색 테이프의 길이는 15입니다.

> **주의**
> 접힌 부분의 길이도 1입니다.

최상위 사고력

1 선을 따라 종이를 자르려고 합니다. 자르는 선의 길이가 긴 종이 순서대로 기호를 쓰세요.

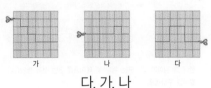

다, 가, 나

2 개미가 보라색 선을 따라 파란색 점으로 기어 갑니다. 개미가 기어 가는 길이 가장 짧은 것에 ○표, 가장 긴 것에 △표 하세요.

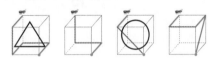

3 각각의 음료수를 놓을 수 있는 곳을 찾아 □ 안에 알맞은 기호를 써넣으세요.

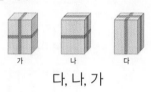

4 똑같은 상자를 3가지 방법으로 포장하였습니다. 사용된 리본의 길이가 긴 상자 순서대로 기호를 쓰세요.

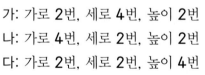

다, 나, 가

1

자르는 선이 지나는 모눈 칸의 수를 셉니다.

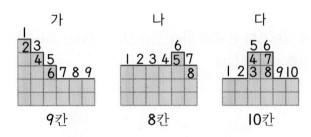

2

개미가 지나가는 보라색 선의 수를 셉니다.

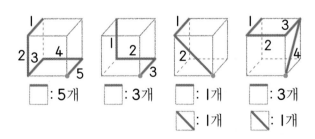

지도 가이드
이 문제에서는 굵은 선의 수를 세어 문제를 해결할 수 있으므로 □와 ◻의 길이를 비교하지 않아도 됩니다.

3

바닥의 높이가 낮을수록 길이가 긴 음료수를 놓을 수 있습니다.

따라서 길이가 가장 긴 음료수는 라, 두 번째로 긴 음료수는 가, 세 번째로 긴 음료수는 나, 네 번째로 긴 음료수는 다에 놓습니다.

4

리본의 길이를 가로, 세로, 높이로 나타내면 다음과 같습니다.

가: 가로 2번, 세로 4번, 높이 2번
나: 가로 4번, 세로 2번, 높이 2번
다: 가로 2번, 세로 2번, 높이 4번
높이, 가로, 세로의 순서로 사용된 리본의 길이가 깁니다.

따라서 다, 나, 가 순서로 사용된 리본의 길이가 깁니다.

주의
보이지 않는 부분의 리본의 길이를 생각해 봅니다.

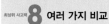
8 여러 가지 비교
최상위 사고력

8-1. 무게 비교하기

1 다음을 보고 잘못된 저울을 모두 찾아 ✕표 하세요.

무게를 어떻게 비교할까요?

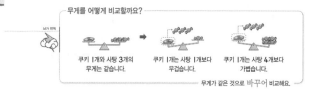

쿠키 1개와 사탕 3개의 무게는 같습니다. ➡ 쿠키 1개는 사탕 2개보다 무겁습니다. 쿠키 1개는 사탕 4개보다 가볍습니다.

무게가 같은 것으로 바꾸어 비교해요.

최상위 사고력 연필, 크레파스, 지우개의 무게를 비교한 것입니다. 무거운 학용품 순서대로 이름을 쓰세요.

지우개, 연필, 크레파스

저자 톡! 길이는 시각적으로 비교하기 쉬운 반면 무게는 시각적으로 비교하는 것이 어렵습니다. 이 단원에서는 저울을 이용하여 무게를 비교해 보는 여러 가지 활동을 통해 저울이 기울어지면 내려간 쪽이 더 무겁고, 수평을 이루면 양쪽에 놓인 물건의 무게가 서로 같음을 알아봅니다.

1

호박 1개는 귤 3개보다 무겁습니다.

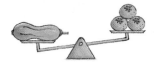

당근 1개는 귤 1개보다 무겁습니다.

호박 1개는 귤 1개보다 무겁습니다.

당근 1개가 호박 1개보다 가벼우므로 당근 1개는 호박 2개보다도 가볍습니다.

최상위 사고력

- 연필 3자루와 지우개 1개의 무게가 같으므로 연필 1자루는 지우개 1개보다 가볍습니다.
  ➡ (연필)<(지우개)

- 크레파스 4자루보다 지우개 1개가 더 무거우므로 크레파스 1자루는 지우개 1개보다 가볍습니다.
  ➡ (크레파스)<(지우개)

- 연필 3자루는 지우개 1개의 무게와 같고, 크레파스 4자루는 지우개 1개보다 가벼우므로 연필 1자루는 크레파스 1자루보다 무겁습니다.
  ➡ (크레파스)<(연필)

따라서 지우개, 연필, 크레파스 순서로 무겁습니다.

8-2. 넓이 비교하기

1 주어진 조각 여러 개로 만든 모양입니다. 사용한 조각은 모두 몇 개입니까?
(단, 조각을 잘라도 됩니다.)

20개

넓이를 어떻게 비교할까요?

넓이: 7   넓이: 7

세모 모양의 넓이는 네모 모양의 넓이의 반이에요.

최상위 사고력 다음과 같이 종이에 물감으로 색칠했습니다. 가장 넓은 부분을 색칠한 물감은 무슨 색입니까?

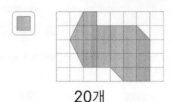

파란색

2 초록색 땅에는 고구마를 심고, 나머지 땅에는 감자를 심었습니다. 더 넓은 땅에 심은 것은 무엇입니까?

고구마

저자 톡! 이 단원에서는 임의 단위를 기준으로 넓이를 비교해 봅니다. 주어진 모눈을 임의 단위로 하여 넓이를 비교하거나, 직접 임의 단위를 정하여 넓이를 비교해 보는 문제를 경험해 봅니다.

1

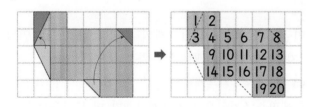

해결 전략
세모 모양을 옮겨 네모 모양으로 만들어 봅니다.

2

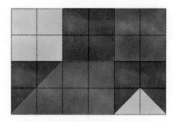

각 부분의 넓이를 비교해 봅니다.
㉠=㉡, ㉢=㉣, ㉤=㉥, ㉦<㉧, ㉨+㉩=㉪
따라서 초록색 땅의 넓이가 더 넓으므로 더 넓은 땅에 심은 것은 고구마입니다.

최상위 사고력

빨간색, 파란색, 노란색 물감으로 색칠된 네모 칸의 수를 각각 세어 봅니다.
빨간색: 9칸, 파란색: 10칸, 노란색: 5칸
따라서 가장 넓은 부분을 색칠한 물감은 파란색입니다.

해결 전략
작은 네모 칸으로 나누어 봅니다.

8-3. 들이 비교하기

1 물이 많이 들어 있는 그릇 순서대로 기호를 쓰세요.

가   나   다

TIP 물의 높이를 살펴보세요.

나, 다, 가

2 똑같은 크기의 물통에 음료수를 가득 담아서 주어진 그릇에 가득 담으려고 합니다. 물통에 남은 음료수의 양이 가장 많은 그릇에 ○표, 가장 적은 그릇에 △표 하세요.

물의 양을 어떻게 비교할까요?

그릇의 크기가 같을 때	물의 높이가 같을 때
➡ 물의 높이가 높을수록 물의 양이 많아요.	➡ 그릇의 크기가 클수록 물의 양이 많아요.

그릇의 크기 또는 물의 높이를 비교해요.

최상위 사고력 다음을 보고 ☐ 안에 알맞은 기호를 써넣으세요.

• 가 그릇에 물을 가득 채워 나 그릇에 부으면 물이 넘칩니다.
• 다 그릇에 물을 가득 채워 가 그릇에 부으면 물이 넘칩니다.

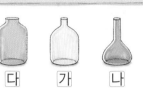

다   가   나

저자 톡! 들이는 용기 안에 담을 수 있는 공간의 크기를 말합니다. 이 단원에서는 서로 다른 그릇의 모양을 보고 들이 예상하기, 그릇에 남은 들이의 양을 보고 사용한 들이의 양 예상하기 등의 문제를 해결해 보면서 공간에 대한 추론 능력을 길러 봅니다.

1

세 그릇의 바닥 크기와 높이가 모두 같으므로 폭이 좁아지지 않는 두 번째 그릇에 물이 가장 많이 들어 있고, 폭이 점점 좁아지는 첫 번째 그릇에 물이 가장 적게 들어 있습니다.
따라서 나, 다, 가 순서로 물이 많이 들어 있습니다.

2

음료수를 많이 담을 수 있는 그릇을 차례로 나타내면 첫 번째, 세 번째, 두 번째 그릇입니다.
따라서 남은 음료수의 양이 많은 물통을 차례로 나타내면 두 번째, 세 번째, 첫 번째입니다.

해결 전략
음료수를 많이 따를수록 물통에 남은 음료수의 양이 적어집니다.

최상위 사고력

• 가 그릇에 물을 가득 채워 나 그릇에 부으면 물이 넘칩니다.
➡ (가 그릇) > (나 그릇)
• 다 그릇에 물을 가득 채워 가 그릇에 부으면 물이 넘칩니다.
➡ (다 그릇) > (가 그릇)
따라서 그릇의 크기는 다>가>나입니다.

해결 전략
가, 나, 다 그릇의 크기를 비교해 봅니다.

보충 개념
담을 수 있는 물의 양이 많을수록 그릇의 크기가 큽니다.

최상위 사고력

1 주어진 물병을 뒤집은 모습으로 알맞은 것을 찾아 기호를 쓰세요.

라

2 다음은 7개의 조각으로 이루어진 칠교판입니다. 주어진 조각과 넓이가 같은 조각을 모두 찾아 기호를 쓰세요.

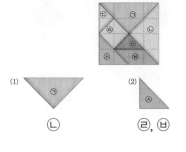

(1)
ⓛ

(2)
ⓔ, ⓗ

3 다음을 보고 알맞은 설명을 모두 찾아 기호를 쓰세요.

ⓐ ◯은 ◯보다 무겁습니다.
ⓑ ◯은 ◯보다 무겁습니다.
ⓒ ◯은 ◯보다 가볍습니다.
ⓓ ◯은 ◯보다 가볍습니다.

ⓐ, ⓑ

4 지우개, 풀, 공책, 크레파스의 무게를 비교한 것입니다. 가벼운 물건 순서대로 이름을 쓰세요.

크레파스, 지우개, 풀, 공책

1

가, 나, 다 병은 물이 담겨 있지 않은 부분이 주어진 물병보다 큽니다.
따라서 물병을 뒤집은 모습으로 알맞은 것은 라 물병입니다.

> **해결 전략**
> 주어진 물병과 물이 담겨 있는 부분과 물이 담겨 있지 않은 부분의 크기가 같은 것을 찾습니다.

2

작은 네모 칸의 수를 세어 봅니다.
ⓐ: 4칸 ⓑ: 4칸 ⓒ: 1칸 ⓔ: 2칸
ⓜ: 1칸 ⓗ: 2칸 ⓢ: 2칸
(1) 네모 칸의 수가 4칸인 조각은 ⓐ, ⓑ입니다.
(2) 네모 칸의 수가 2칸인 조각은 ⓔ, ⓗ, ⓢ입니다.

3

ⓐ 첫 번째 저울에서 초록색 구슬이 노란색 구슬보다 아래로 내려갔으므로 초록색 구슬이 노란색 구슬보다 무겁습니다.
➡ (초록색 구슬) > (노란색 구슬)
ⓑ~ⓔ 두 번째 저울에서 노란색 구슬과 초록색 구슬의 무게의 합이 빨간색 구슬 2개의 무게와 같으므로 빨간색 구슬의 무게는 초록색 구슬보다 가볍고 노란색 구슬보다 무겁습니다.
➡ (초록색 구슬) > (빨간색 구슬) > (노란색 구슬)

4

• 지우개는 풀보다 가볍습니다.
➡ (지우개) < (풀)
• 풀은 공책보다 가볍습니다.
➡ (풀) < (공책)
• 크레파스는 지우개보다 가볍습니다.
➡ (크레파스) < (지우개)
따라서 크레파스, 지우개, 풀, 공책 순서로 가볍습니다.

Review IV 측정

1 밑줄 친 부분을 바르게 고치세요.

(1) 어린이 수영장의 물은 낮습니다.

얕습니다.

(2) 느티나무 줄기는 두껍습니다.

굵습니다.

(3) 기린은 코끼리보다 키가 더 높습니다.

큽니다.

2 길이가 같은 막대 4개를 땅 속에 꽂았다가 꺼냈습니다. 땅 속에 깊게 꽂힌 막대 순서대로 기호를 쓰세요.

ㄴ, ㄷ, ㄱ, ㄹ

3 생쥐가 빨간색 선을 따라 치즈를 먹으러 갑니다. 생쥐가 움직인 거리가 |보기|와 같은 것의 기호를 쓰세요.

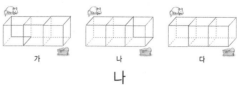

가   나   다

나

4 |보기|와 같이 가로, 세로로 점을 이어 모양을 만들려고 합니다. 가장 작은 네모 칸의 넓이가 1일 때, 넓이가 8인 모양을 두 가지 방법으로 만드세요.

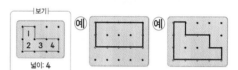

1

(1) 물의 깊이는 깊다, 얕다로 나타냅니다.

> **보충 개념**
> 높이는 높다, 낮다로 나타냅니다.

(2) 물체의 둘레나 너비는 굵다, 가늘다로 나타냅니다.

> **보충 개념**
> 두께는 두껍다, 얇다로 나타냅니다.

(3) 키는 크다, 작다로 나타냅니다.

2

흙이 묻은 부분의 길이가 길수록 땅 속에 깊게 꽂힌 막대입니다.

흙이 묻은 부분의 길이는 ㄴ, ㄷ, ㄱ, ㄹ 순서로 길기 때문에 땅 속에 깊게 꽂힌 막대부터 차례로 쓰면 ㄴ, ㄷ, ㄱ, ㄹ입니다.

3

먼저 |보기|에서 생쥐가 움직인 거리를 구해 봅니다.

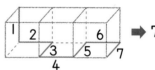

가, 나, 다에서 생쥐가 움직인 거리를 구해 봅니다.

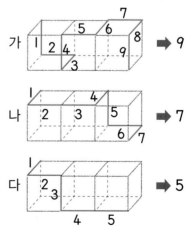

따라서 생쥐가 움직인 거리가 7로 같은 것은 나입니다.

4

네모 칸의 개수가 8개인 모양을 만들어 봅니다.

5 장난감 자동차, 로봇, 기차, 곰인형의 무게를 비교한 것입니다. 가장 무거운 장난감과 가장 가벼운 장난감을 차례로 쓰세요.

곰인형, 자동차

6 가연, 지웅, 연우가 각각 들이가 같은 우유 1병을 마시고 남은 우유를 컵에 따랐습니다. 우유를 가장 많이 마신 사람은 누구입니까?

가연   지웅   연우

연우

5

• 자동차 < 로봇
• 자동차 < 기차
• 로봇 < 곰인형
• 기차 < 로봇
➡ 자동차 < 기차 < 로봇 < 곰인형
따라서 가장 무거운 장난감은 곰인형, 가장 가벼운 장난감은 자동차입니다.

6

우유를 가장 적게 남긴 사람이 우유를 가장 많이 마셨습니다.
따라서 연우, 지웅, 가연 순서로 우유를 적게 남겼으므로 우유를 가장 많이 마신 사람은 연우입니다.

해결 전략
우유의 높이가 같으므로 그릇의 크기가 클수록 남은 우유의 양이 많습니다.

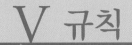

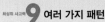

9-1. 마디가 있는 패턴
└ 반복되는 부분

1 주어진 마디를 반복하여 지나 미로를 통과하세요.

(1) ●─★─■   (2) ♠─♠─♣

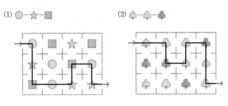

2 구슬 1개만 빼면 패턴이 될 때, 빼야 할 구슬 1개를 찾아 ×표 하세요.

(예)

TIP 먼저 구슬을 꿴 패턴의 마디를 찾아보세요.

반복되는 마디는 어떻게 찾을까요?

모양 마디	개수 마디	색깔 마디
△□○△□○	(막대들)	●●●●●●
△─□─○가 반복됩니다.	3개─2개가 반복됩니다.	파란색─주황색─주황색이 반복됩니다.

모양, 개수, 색깔, 크기 등이 어떻게 반복되는지 찾아요.

최상위 사고력 지웅이와 혜영이가 다음과 같은 순서에 따라 가위바위보를 합니다. 7번째 가위바위보에서 이기는 사람의 이름을 쓰세요.

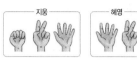

혜영

저자 톡! 마디가 있는 패턴은 패턴의 가장 기본적인 유형입니다. 반복되는 기본 마디를 찾고, 그 다음에 올 모양을 예상해 보며 논리력과 추리력을 길러 봅니다.

1

빨간색 화살표에서 출발하여 파란색 화살표까지 도착하도록 미로를 통과해 봅니다.

> **주의**
> 주어진 마디에서 모양의 순서가 바뀌면 안 됩니다.

2

'노란색 구슬 3개─연두색 구슬 2개'가 반복되어 나타나는 패턴입니다.

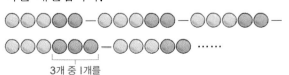

3개 중 1개를
빼면 됩니다.

지웅이는 '바위─가위─보'로 반복하여 내고, 혜영이는 '보─가위'로 반복하여 냅니다.

1번째부터 7번째까지 한 가위바위보를 표로 나타내면 다음과 같습니다.

순서(번째)	1	2	3	4	5	6	7
지웅	바위	가위	보	바위	가위	보	바위
혜영	보	가위	보	가위	보	가위	보

따라서 7번째에 지웅이는 바위, 혜영이는 보를 냈으므로 이기는 사람은 혜영이입니다.

9-2. 회전 패턴

1 규칙을 찾아 5번째 모양을 완성하세요.

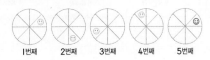

TIP ☺이 어느 방향으로 몇 칸씩 이동하는지 살펴보세요.

2 다음과 같은 규칙으로 전구가 켜진다고 할 때, 6번째에 켜지는 전구를 찾아 ○표 하세요.

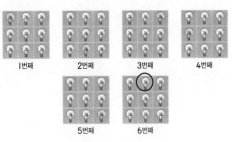

뇌가 반짝 회전 패턴의 규칙은 어떻게 찾을까요?

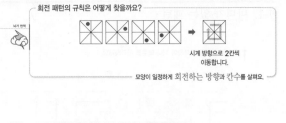

시계 방향으로 2칸씩 이동합니다.

모양이 일정하게 회전하는 방향과 칸수를 살펴요.

최상위 사고력 규칙을 찾아 6번째 모양과 7번째 모양을 완성하세요.

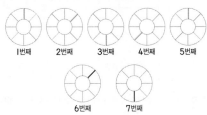

저자톡! 일정하게 모양이 회전하거나 위치가 이동하는 패턴의 규칙을 찾아봅니다. 규칙이 한눈에 들어오지 않기 때문에 아이들이 앞서 배웠던 마디 패턴보다 어려워할 수 있습니다. 여러 가지 문제를 접해보며 해결 방법을 스스로 깨닫고, 공간감각을 길러 봅니다.

1

☺이 시계 방향으로 2칸씩 이동하는 규칙입니다.

해결 전략
☺이 어느 방향으로 몇 칸씩 이동하는지 찾아봅니다.

2

켜진 전구는 시계 방향으로 5칸 건너마다 나옵니다.

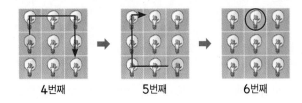

다른 풀이
켜진 전구는 시계 반대 방향으로 3칸 건너마다 나옵니다.

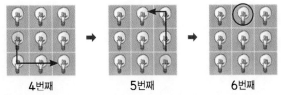

최상위 사고력

──이 시계 방향으로 1칸, 3칸씩 반복하여 이동하는 규칙입니다.

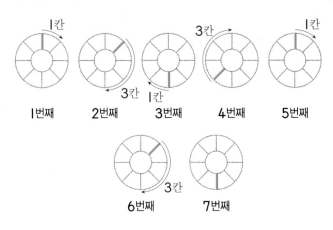

9-3. 개수가 늘어나는 패턴

1 도미노를 일정한 규칙에 따라 놓을 때, 빈칸에 알맞은 도미노를 찾아 기호를 쓰세요.

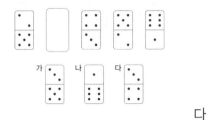

다

개수가 늘어나는 패턴의 규칙은 어떻게 찾을까요?

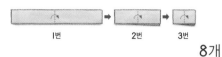

2개 4개 6개 8개 10개

➡ □의 개수가 2개씩 늘어납니다.

개수가 몇 개씩 늘어나는지 찾아요.

최상위 사고력 다음과 같이 색종이를 반씩 접은 다음 펼쳐 접은 선을 따라 모두 자르려고 합니다. 색종이를 3번 접고 잘랐을 때 찾을 수 있는 조각의 개수를 구하세요.

1번   2번   3번

8개

2 바둑돌을 일정한 규칙에 따라 놓을 때, 4번째 모양의 검은색 바둑돌과 흰색 바둑돌의 개수를 차례로 구하세요.

1번째 2번째 3번째 4번째 5번째

8개, 8개

저자 톡! 개수가 일정하게 늘어나는 패턴의 규칙을 찾아봅니다. 주어진 모양을 보고, 각 모양이 나타내는 수를 쓰면 개수가 늘어나는 규칙을 쉽게 찾을 수 있습니다. 이외에도 자신만의 해결 전략을 세우며 규칙을 찾는 연습을 해 봅니다.

1

규칙에 따라 바뀌는 것은 점의 개수입니다.

• 위 칸의 점의 개수: 2개 − □개 − 4개 − 5개 − 6개로 1개씩 늘어나는 규칙입니다.

• 아래 칸의 점의 개수: 5개 − □개 − 3개 − 2개 − 1개로 1개씩 줄어드는 규칙입니다.

따라서 빈칸에 놓을 수 있는 도미노는 점이 위 칸에 3개, 아래 칸에 4개인 다입니다.

> **해결 전략**
> 도미노의 위 칸과 아래 칸의 점의 개수의 규칙을 살펴봅니다.

2

바둑돌을 가로줄과 세로줄에 같은 색이 연속하지 않도록 1개, 2개, 3개, 4개, 5개씩 놓는 규칙입니다.

4번째 모양은 오른쪽과 같습니다.

따라서 4번째 모양의 검은색 바둑돌은 8개, 흰색 바둑돌은 8개입니다.

최상위 사고력

접은 종이를 펼쳤을 때 모습은 다음과 같습니다.

0번 ➡ 1조각

1번 ➡ 2조각

2번 ➡ 4조각

3번 ➡ 8조각

따라서 3번 접고 잘랐을 때 찾을 수 있는 조각은 8개입니다.

최상위 사고력

1 바둑돌을 일정한 규칙에 따라 놓았습니다. ㉠에 놓인 바둑돌이 5개일 때, 전체에서 사용한 검은색 바둑돌과 흰색 바둑돌의 개수를 차례로 구하세요.

 ㉠

8개, 4개

2 규칙을 찾아 5번째 모양과 6번째 모양을 완성하세요.

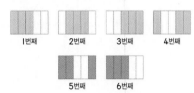

3 화살표가 가리키는 숫자의 규칙을 찾아 10은 몇 번째에 나오는지 구하세요.

7번째

4 쌓기나무를 일정한 규칙에 따라 쌓을 때, 5번째 모양에 놓인 쌓기나무의 개수를 구하세요.

1번째 2번째 3번째 4번째 ......

15개

1

• 반복 마디가 ●─●─○─●인 경우

●●●○●●○●○●

➡ 주어진 규칙을 만족하지 않습니다.

• 반복 마디가 ●─●─○인 경우

●●●○●●○●○●

➡ 주어진 규칙을 만족합니다.

바둑돌을 놓은 모습은 다음과 같습니다.

따라서 사용한 검은색 바둑돌은 **8**개, 흰색 바둑돌은 **4**개입니다.

2

색칠한 **3**칸이 오른쪽으로 **1**칸 건너 이동하는 규칙입니다.

해결 전략
규칙에 따라 바뀌는 것은 색칠된 칸의 위치입니다.
따라서 어느 방향으로 몇 칸 이동하는지 찾아봅니다.

3

원판이 시계 반대 방향으로 **3**칸 건너 돌아가는 규칙입니다.

5번째   6번째   7번째

따라서 **10**은 **7**번째에 나옵니다.

4

쌓기나무의 개수가 **2**개, **3**개, **4**개씩 늘어나는 규칙입니다.

4번째 모양의 쌓기나무의 개수가 **10**개이므로 **5**번째 모양의 쌓기나무의 개수는 **4**번째 모양보다 **5**개 많은 **15**개입니다.

보충 개념
쌓기나무의 개수가 2개, 3개, 4개씩 늘어나므로 늘어나는 수가 1씩 커지는 규칙입니다.

10 이중 패턴

10-1. 모양이 포함된 패턴

1 규칙에 따라 모양을 그려 나갈 때, □ 안에 알맞은 모양을 그리세요.

(1)

(2) ★ ● ● ★ ● ● ★ ● ● ★ ● ● ☆ ○ ○

TIP 모양, 크기, 색깔의 규칙을 살펴보세요.

 2 규칙에 따라 모양을 쌓을 때, 빈칸에 알맞은 모양을 찾아 기호를 쓰세요.

모양이 포함된 이중 패턴의 규칙은 어떻게 찾을까요?

➡ • 모양 마디: △-□
• 색깔 마디: 주황색-회색-파란색
• 개수 마디: 3개-2개-1개

먼저 모양 마디를 찾은 다음 개수, 색깔, 크기 등의 마디를 찾아요.

최상위 사고력 다음을 보고 빈칸에 알맞은 그림을 그려 패턴을 완성하세요.

• 모양 마디는 '○-△-□'입니다.
• 크기 마디는 '작다-크다'입니다.
• 색깔 마디는 '빨간색-빨간색-파란색-파란색'입니다.

저자 톡! 모양 패턴을 포함하면서 크기, 개수, 색깔, 모양 등의 패턴도 있는 이중 패턴을 살펴봅니다. 패턴이 1개였을 때보다 규칙을 찾기 어렵기 때문에 먼저 어떤 속성이 있는지 빠짐없이 찾는 연습이 필요합니다.

1

(1) 모양 마디: △-□-○
색깔 마디: 주황색-연두색

(2) 모양 마디: ★-●-●
크기 마디: 크다-작다

해결 전략
먼저 모양 마디를 찾은 다음 개수, 색깔, 크기 등의 마디를 찾아봅니다.

2

모양 마디:

개수 마디: 1개-3개-2개

최상위 사고력

다음과 같은 순서로 패턴을 완성해 봅니다.
① ○, △, □를 차례로 그립니다.
② 작은 모양, 큰 모양이 반복되므로 홀수 번째 모양은 작은 모양, 짝수 번째 모양은 큰 모양으로 크기를 바꿉니다.
③ 빨간색-빨간색-파란색-파란색이 되도록 색칠합니다.

주의
세 가지 마디를 모두 만족하도록 그림을 그려야 합니다.

10-2. 회전이 포함된 패턴

1 규칙을 찾아 5번째 모양을 완성하세요.

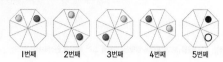

1번째   2번째   3번째   4번째   5번째

회전이 포함된 패턴의 규칙은 어떻게 찾을까요?

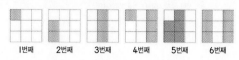

* 회전 마디:
* 개수 마디: 1개—2개—3개 ……

먼저 회전 마디를 찾은 다음 모양, 개수, 색깔 등의 마디를 찾아요.

최상위 사고력 규칙을 찾아 5번째 모양을 완성하세요.

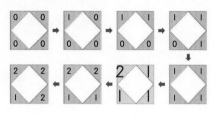

1번째   2번째   3번째   4번째   5번째   6번째

2 규칙을 찾아 6번째 모양을 완성하세요.

> **저자 톡!** 회전 패턴을 포함하면서 크기, 개수, 색깔, 모양 등의 패턴도 있는 이중 패턴을 살펴봅니다. 규칙이 복잡하므로 회전 패턴을 기본으로 어떤 패턴이 결합되어 있는지를 파악하는 것이 중요합니다. 혼합 이중 패턴을 접해 보며 공간감각과 수학적 예측력을 길러 봅니다.

1

흰색 바둑돌은 시계 방향으로 1칸씩 이동하고, 검은색 바둑돌은 시계 방향으로 2칸씩 이동합니다.

> **해결 전략**
> 흰색 바둑돌과 검은색 바둑돌이 각각 어느 방향으로 몇 칸만큼 이동하는지 찾아봅니다.

2

㉠부터 시작하여 시계 방향으로 1씩 큰 수를 씁니다.

최상위 사고력

* 회전 마디: 다음과 같은 방향으로 이동합니다.

* 개수 마디: 앞의 색칠이 끝난 칸 바로 다음부터
  1칸—2칸—3칸—4칸— …… 씩
  색칠합니다.

따라서 5번째 모양에 색칠된 칸은 5칸이고,
색칠된 모습은 다음과 같습니다.

10-3. 몇 번째 구하기

1 규칙을 찾아 10번째 모양을 완성하세요.

(1)
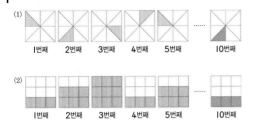

1번째   2번째   3번째   4번째   5번째   10번째

(2)

1번째   2번째   3번째   4번째   5번째   10번째

몇 번째 모양을 어떻게 알 수 있을까요?

10번째

패턴 마디를 찾기	같은 모양이 나오는 순서를 찾기
・모양 마디: ○─□	・모양 마디: 2번째, 4번째, 6번째, 8번째, 10번째
・개수 마디: 1개─2개─3개	・개수 마디: 1번째, 4번째, 10번째

같은 모양이 나오는 순서를 구해요.

최상위 사고력 규칙을 찾아 18번째 화살통의 색깔과 화살의 개수를 차례로 구하세요.

파란색, 2개

 2 규칙을 찾아 13번째 그림의 과자의 개수와 그릇 색깔을 차례로 구하세요.

1번째   2번째   3번째   4번째

5번째   6번째

2개, 하늘색

저자 톡! □번째에 나오는 모양을 구하려면 먼저 패턴의 규칙을 찾고, □번째의 모양을 예상해야 합니다. □번째까지 모양을 모두 그리지 않고 문제를 풀 수 있는 방법을 모색하며 문제해결력과 논리력을 길러 봅니다.

1

(1) 모양 4개가 반복되므로 2번째, 6번째, 10번째의 모양은 같습니다.

> **보충 개념**
> 일정한 방향으로 이동하는 규칙인 경우 패턴의 마디를 찾을 수 있습니다. 1번째 모양과 5번째 모양이 같으므로 패턴의 마디는
>  입니다.
> 따라서 10번째 모양은 2번째 모양과 같음을 알 수 있습니다.

(2) 모양 3개가 반복되므로 1번째, 4번째, 7번째, 10번째의 모양은 같습니다.

2

・개수 마디: 2개─3개─1개
・색깔 마디: 하늘색─보라색
과자의 개수는 3가지가 반복되므로 1번째, 4번째, 7번째, 10번째, 13번째가 같습니다.

그릇 색깔은 2가지가 반복되므로 1번째, 3번째, 5번째, 7번째, 9번째, 11번째, 13번째가 같습니다.
따라서 15번째 그림의 과자의 개수는 2개이고, 그릇은 하늘색입니다.

최상위 사고력

・색깔 마디: 빨간색─초록색─파란색
・개수 마디: 4개─2개─3개─1개
화살통 색깔은 3가지가 반복되므로 3번째, 6번째, 9번째, 12번째, 15번째, 18번째가 같습니다.
화살의 개수는 4가지가 반복되므로 2번째, 6번째, 10번째, 14번째, 18번째가 같습니다.
따라서 18번째 화살봉은 파란색이고, 화살의 개수는 2개입니다.

최상위 사고력

1 규칙을 찾아 15번째에 나오는 글자, 색깔, 크기를 차례로 구하세요.

디 딤 돌 디 딤 돌 디 딤 돌……

돌, 파란색, 크다

2 규칙을 찾아 6번째 그림에서 빨간색 구슬과 파란색 구슬이 놓일 칸의 수를 차례로 구하세요.

1번째 2번째 3번째 4번째 ……

9, 6

3 규칙을 찾아 12번째 모양을 완성하세요.

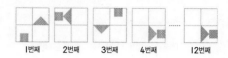
1번째 2번째 3번째 4번째 12번째

4 시곗바늘이 일정한 규칙으로 움직입니다. 10번째 시계에 알맞은 시각을 나타내세요.

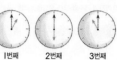
1번째 2번째 3번째 4번째 …… 10번째

1

• 글자 마디: 디－딤－돌
• 색깔 마디: 빨간색－파란색－파란색
• 크기 마디: 크다－작다

글자와 색깔은 3가지가 반복되므로 3번째, 6번째, 9번째, 12번째, 15번째가 같습니다.

크기는 2가지가 반복되므로 1번째, 3번째, 5번째, 7번째, 9번째, 11번째, 13번째, 15번째가 같습니다.

따라서 15번째 나오는 글자는 돌, 색깔은 파란색, 크기는 크다입니다.

2

● 구슬은 시계 방향으로 4칸씩, ● 구슬은 시계 반대 방향으로 2칸씩 이동합니다.

4번째 5번째 6번째

3

▲ 모양은 시계 반대 방향으로 1칸씩 이동하고, ■ 모양은 시계 방향으로 1칸씩 이동합니다.

모양 4개   가 반복되므로

4번째, 8번째, 12번째 모양은 같습니다.

해결 전략
▲ 모양과 ■ 모양이 이동하는 방향을 각각 살펴봅니다.

4

분침은 움직이지 않고 시침은 5시간씩 이동하는 규칙입니다.

순서 (번째)	1	2	3	4	5	6	7	8	9	10
시각 (시)	1	6	11	4	9	2	7	12	5	10

지도 가이드
반복되는 규칙을 찾을 수 없을 때는 규칙을 표로 나타내어 찾을 수 있도록 지도합니다.

Review V 규칙

1 규칙을 찾아 □ 안에 알맞은 과자의 기호를 써넣으세요.

(1)  가

(2)  가

2 규칙을 찾아 5번째 모양을 완성하세요.

1번째 2번째 3번째 4번째 5번째

3 규칙을 찾아 5번째 모양을 완성하세요.

1번째 2번째 3번째 4번째 5번째

4 규칙을 찾아 □ 안에 알맞은 모양을 그리세요.

1

(1) 모양 마디:

(2) 모양 마디:

> **해결 전략**
> 과자가 반복되는 마디를 찾아봅니다.

2

●이 시계 방향으로 **4**칸씩 이동하는 규칙입니다.

> **보충 개념**
> 패턴의 마디는 다음과 같이 3개의 모양이므로 5번째 모양은 2번째 모양과 같습니다.
>
> 1번째   2번째   3번째

3

왼쪽 하단부터 시계 방향으로 흰색 별이 1개씩 증가하는 규칙입니다.

> **다른 풀이**
> 시계 방향으로 색칠된 별의 수가 1개씩 줄어드는 규칙입니다.
>
>

4

• 모양 마디: ▲ — ■

• 개수 마디: 1개 — 2개 — 3개 — 4개……로
1개씩 늘어나는 규칙

5 8번째 모양에서 찾을 수 있는 ◯의 개수를 구하세요.

1번째   2번째   3번째   4번째   5번째

15개

6 규칙을 찾아 15번째에 알맞은 모양, 색깔, 크기를 차례로 구하세요.

☐, 파란색, 작다

5

1번째   2번째   3번째   4번째   5번째

1개 → 3개 → 5개 → 7개 → 9개
  +2   +2   +2   +2

◯의 개수가 2개씩 늘어나므로
6번째: 11개, 7번째: 13개, 8번째: 15개입니다.

6

- 모양 마디: ◯-△-☐
- 색깔 마디: 빨간색-노란색-파란색-초록색
- 크기 마디: 작다-크다

모양은 3가지가 반복되므로 3번째, 6번째, 9번째,
12번째, 15번째가 같습니다.
색깔은 4가지가 반복되므로 3번째, 7번째, 11번째,
15번째가 같습니다.
크기는 2가지가 반복되므로 1번째, 3번째, 5번째,
7번째, 9번째, 11번째, 13번째, 15번째가 같습니다.
따라서 15번째 나오는 모양은 ☐, 색깔은 파란색, 크
기는 작다입니다.

MEMO

심화 완성 최상위 수학S, 최상위 수학

개념부터
심화까지

수학 좀 한다면

따라올 수 없는 자신감!
디딤돌 초등 라인업을 만나 보세요.

수준별 수학 기본서	디딤돌 초등수학 원리	3~6학년	교과서 기초 학습서
	디딤돌 초등수학 기본	1~6학년	교과서 개념 학습서
	디딤돌 초등수학 응용	3~6학년	교과서 심화 학습서
	디딤돌 초등수학 문제유형	3~6학년	교과서 문제 훈련서
	디딤돌 초등수학 기본+응용	1~6학년	한권으로 끝내는 응용심화 학습서
	디딤돌 초등수학 기본+유형	1~6학년	한권으로 끝내는 유형반복 학습서

상위권 수학 학습서	최상위 초등수학 S	1~6학년	심화 개념 · 심화 유형 학습서
	최상위 초등수학	1~6학년	심화 개념 · 심화 유형 학습서
	최상위 사고력	1~6학년	경시 · 영재 · 창의사고력 학습서
	3% 올림피아드	1~4과정	올림피아드 · 특목중 대비 학습서

연산학습 교재	최상위 연산은 수학이다	1~6학년	수학이 담긴 차세대 연산 학습서

국사과 기본서	디딤돌 초등통합본(국어 · 사회 · 과학)	3~6학년	교과 진도 학습서

국어 독해력	디딤돌 독해력	1~6학년	수능까지 연결되는 초등국어 독해 훈련서